Neste livro, a autora apresenta histórias de vidas abaladas em suas dimensões física, emocional e espiritual, reconhecendo que Deus se importa com o ser humano integral. O Senhor é capaz de curar o corpo, como também restaurar o equilíbrio das emoções e dos sentimentos mais profundos, por vezes feridos nos momentos de sofrimento e dor. A leitora será carinhosamente motivada a examinar-se e reconhecer aquele que é capaz de proporcionar um perfeito equilíbrio existencial: Jesus.

HELOIZA CRUZ
Conselheira, mentora de mulheres e responsável pela implantação do Ministério Geração Futuro na Igreja Batista Central de Fortaleza (CE)

Mulher completa é um livro admirável. Escrito com habilidade e conhecimento das verdades espirituais, traz mensagens inspiradas pelo Espírito Santo que falam profundamente ao nosso coração. Samara Queiroz trata com clareza e inteligência espiritual assuntos relevantes que oferecem às mulheres o que elas mais precisam: uma transformação total do interior — e não do exterior! Agarre-se a este tesouro e você refletirá a glória de Deus em seu inconfundível papel de mulher.

JANILDA BRANDÃO PEREIRA
Presidente do ministério feminino na Assembleia de Deus, templo central, em Fortaleza (CE)

Neste livro, Samara soube abordar assuntos bem presentes na vida de todas as mulheres, abrangendo corpo, alma e espírito. Ler testemunhos de experiências, lutas, fraquezas e vitórias no Senh desistir de nós mesmas. Em uma época em que somos bombardeadas todos os dias pela "ditadura da beleza", esta leitura vai "reprogramar seu cérebro" a ponto de não se deixar contaminar por essa ditadura e compreender que só a obra do Espírito Santo em nós traz o verdadeiro "embelezamento", que é eterno. Este livro, inspirado por Deus, nos mostra que viver buscando ser cada dia mais parecida com Cristo é o que nos faz sentir de fato uma mulher completa.

KEILA SOLONCA
Colíder do ministério de casais na Primeira Igreja Batista de Florianópolis (SC)

Uma conversa sincera, linda e franca sobre ser mulher. Uma conversa inteira! Este lindo livro proporciona momentos deliciosos de troca, pois foi escrito por uma linda mulher, falando das coisas de mulheres lindas, junto com aquele que mais entende de mulher: Jesus. O que esse tempo juntos produz é bom demais: descobertas, crescimento e alegrias. Tudo isso entre lágrimas verdadeiras e sorrisos gostosos, num ambiente de paz. Desfrute!

LEILA PAES
Psicóloga e colíder da Igreja da Cidade, em São José dos Campos (SP)

Samara é uma ótima comunicadora que, corajosamente, compartilha suas experiências pessoais. Com ampla base bíblica, ela enfrenta temas atuais com determinação e clareza, falando sobre beleza, autoestima, sexualidade, feminismo, submissão, ansiedade, depressão, propósito, devoção e serviço. Senti-me pessoalmente desafiada. Uma leitura necessária para todas as que trilham o caminho da entrega integral.

Marta Bittencourt
Educadora, discipuladora e conselheira cristã

Mulher completa mostra de forma clara e gradual que a felicidade se dá à medida que entendemos que somos únicas e amadas por Deus. Muitas vezes, essa percepção não vem sem dor. Assino embaixo desse livro não apenas porque sei que a autora o escreveu com base em sua própria experiência de dor, rendição e recomeço, mas porque, como leitora e crítica, fui convencida e contagiada por verdades e pontos de vista que me pegaram de surpresa e me fizeram repensar minha felicidade e minha relação com Deus e comigo mesma. Obrigada pela coragem, querida Samara!

Sara Maria Wenzel de Paula Vieira
Professora do Haggai Institute em Maui,
escritora, tradutora e conferencista

Fui profundamente abençoada ao ler este livro e tenho certeza de que você também será! A frase "A mulher feminina resgata em Cristo a identidade perdida no Éden" resume bem o que a autora transmite acerca da mulher completa. Pela ótica de Cristo, a mulher deveria enxergar o seu corpo e zelar por ele como a mais bela habitação divina, vendo-se livre das armadilhas da ditadura da beleza. Também deveria entrar em contato profundo com suas emoções, a fim de conhecer suas alegrias e limitações, fortalecer-se no uso da razão para desenvolver resiliência nas tribulações, valorizar sua feminilidade sem ceder a um feminismo radical e preencher-se da presença diária de Cristo, no intuito de experimentar a completude interior que não pode ser encontrada em nenhum outro ser ou lugar.

Sônia Agreste

Colíder da Igreja Presbiteriana Chácara Primavera, em Campinas (SP). Atua nos ministérios de música e artes, direção litúrgica, discipulado e aconselhamento de mulheres

Ser uma mulher completa é o desejo de todas nós. Fica mais fácil quando somos abençoadas, com a ajuda de Deus, pela vida de alguém tão admirável quanto Samara. Suas palavras abençoadas agora são uma obra impressa, um guia para ler e consultar, dar de presente e recomendar. *Mulher completa* é uma obra inteligente e profunda e, ao mesmo tempo, leve como uma conversa entre amigas. É um recado do Pai trazido por uma irmã doce e capaz. Obrigada, amiga! Obrigada, Senhor!

Viviany Viguier

Coplantadora da Igreja Plena, em Niterói (RJ), líder do ministério infantil e escritora

SAMARA QUEIROZ

MULHER COMPLETA

O CAMINHO DA FELICIDADE PARA O CORPO,
A ALMA E O ESPÍRITO

Os textos das referências bíblicas foram extraídos da *Nova Versão Internacional* (NVI), da Biblica Inc., salvo indicação específica. Eventuais destaques nos textos bíblicos e citações em geral referem-se a grifos da autora.

CIP-Brasil. Catalogação na Publicação
Sindicato Nacional dos Editores de Livros, RJ

Q47m

Queiroz, Samara
Mulher completa: o caminho da felicidade para o corpo, a alma e o espírito / Samara Queiroz. - 1. ed. - São Paulo: Mundo Cristão, 2017.
160 p. ; 21 cm.

ISBN 978-85-433-0254-6

1. Mulheres cristãs - Vida religiosa. 2. Espiritualidade. 3. Autorrealização. I. Título.

17-43893 CDD: 248.843
CDU: 248

Categoria: Inspiração

Publicado no Brasil com todos os direitos reservados por:
Editora Mundo Cristão
Rua Antônio Carlos Tacconi, 79, São Paulo, SP, Brasil, CEP 04810-020
Telefone: (11) 2127-4147
www.mundocristao.com.br

1ª edição: outubro de 2017
1ª reimpressão: 2017

A você, que deseja conhecer-se mais e tem sede ardente de encontrar respostas no Senhor.

Sumário

Agradecimentos 11

Prefácio 12

Introdução 15

1. Entre punição e libertinagem 19
2. A ditadura da beleza 31
3. Eu, templo do Espírito Santo 41
4. Eu e minhas emoções 59
5. Um pouco de razão faz bem 71
6. Feminismo ou feminilidade? 88
7. Um vazio do tamanho de Deus 103
8. Um projeto em construção 118
9. Quando o Rei me chamar, meu espírito se alegrará 128
10. Uma mulher como você 138

Conclusão 153

Notas 156

Referências bibliográficas 157

Sobre a autora 159

Agradecimentos

À nossa comunidade, Cidade Viva, por sonhar os nossos sonhos e caminhar conosco em quaisquer circunstâncias. Obrigada pelo seu amor.

Ao Sérgio Queiroz, meu amor, companheiro, amante e esposo. Meu amor, você faz meus dias mais lindos. Não falo isso como aquela que só viveu flores ao seu lado, mas como quem sabe bem como os espinhos fortaleceram nosso amor. Você foi para mim aquele que não me largou em nenhum instante. Quando mais precisei, você foi o escolhido do Senhor para aliviar minhas dores em todas as dimensões. Eu o amo com todas as minhas forças e cada dia mais.

Prefácio

No prefácio de um dos livros de sua esposa, Kay Warren, o pastor Rick Warren escreveu: "Livros que transformam vidas são escritos por vidas transformadas. Esses livros são poderosos porque os autores tiveram o íntimo abalado, e suas experiências também nos abalam. Ficamos comovidos porque eles foram tocados. Somos transformados porque eles foram transformados". Foi exatamente isso que senti ao ler *Mulher completa*. Eu conhecia a história de Samara Queiroz e fui uma das muitas pessoas que clamaram a Deus por sua vida. Por essa razão, fiquei abalada e comovida enquanto percorria as páginas deste livro.

Confesso que fui muito impactada pela leitura. Eu não conseguia parar de ler, pois queria sorver mais e mais dos escritos dessa sábia mulher de Deus. Samara percebeu com muita propriedade alguns conceitos valorizados pela mulher de hoje e que contrariam os valores da Palavra de Deus. Com muita sensibilidade, ela os trabalhou para nos fazer descobrir o que o Senhor realmente espera de nós a fim de que possamos desfrutar do melhor desta terra. Com uma simplicidade característica das pessoas que buscam a cada dia uma intimidade maior com Deus, seu entendimento de como podemos enxergar corpo, alma e espírito mediante uma visão integral do ser é brilhante.

Como coordenadora de um movimento de mães de oração, o Desperta Débora, tenho sentido angústia e preocupação. Viajo muito pelo Brasil e escuto mães desesperadas por causa dos filhos, delas mesmas e de sua família. Essas mulheres estão completamente perdidas, sem saber como agir nem que direção tomar. A valorização do *ter*, em sobreposição ao *ser*, vem distorcendo os valores que sempre foram a base da sociedade, e a família é fortemente abalada por essa distorção.

Em seu trabalho com as mulheres da igreja Cidade Viva, Samara soube captar e compreender muito bem essa realidade preocupante. Ela entendeu que vivemos momentos de muita incerteza, de receios, competição acirrada, vigilância e medos. É um quadro caótico, que muitas vezes leva ao desespero, à depressão e à desesperança.

Ao nosso redor, pessoas buscam um lugar ao sol, um lugar na vida, o colorido verde da esperança e paz para o coração. O resultado dessa busca é o abalo da saúde do corpo, da alma e do espírito, um preço alto demais. Em desespero, o ser humano tem se voltado para dentro de si, numa tentativa extrema de se convencer de que há uma esperança em Deus. No entanto, nem sempre as pessoas encontram o Senhor, porque não o buscam corretamente. E os que fazem parte do Corpo de Cristo não estão imunes ao problema.

Mulher completa foi escrito com a autoridade de quem passou pelo vale da sombra da morte e voltou mais forte, valente, prudente e sábia no entendimento dos verdadeiros valores da vida. Samara abre o coração para nos levar a verdadeiramente agradar a Deus e ser abençoadas por ele. "Deus quer ter um relacionamento sem barreiras conosco", escreve Samara, o que implica ter o nosso ser completamente aberto, transparente, desnudado.

Você tem em mãos um livro rico, fruto do amor imensurável de Deus por uma filha querida, que se sente amada, honrada e salva por ele. Uma filha que depende totalmente de seu Pai, todos os dias. Para Samara, o que de fato importa é que possamos viver de forma integral a nossa vida e o nosso relacionamento com Deus — que possamos viver como *mulheres completas*!

Boa leitura!

NINA TARGINO
Coordenadora Nacional do
Movimento Desperta Débora

Introdução

A ideia deste livro nasceu no coração do meu marido. Eu estava trabalhando em um evento para mulheres em nossa comunidade, a Cidade Viva, com o tema *Mulher em corpo, alma e espírito,* quando Sérgio comentou com Maurício Zágari, editor da Editora Mundo Cristão, a respeito do tema. Ele achou interessante e sugeriu que eu escrevesse um livro com base no assunto. Por uma dessas circunstâncias da vida, o evento acabou sendo cancelado, mas o livro vingou e hoje você o tem em mãos.

Gosto de compartilhar ideias e ideais. O que desejo dividir com você é meu entendimento acerca de como podemos enxergar corpo, alma e espírito (e suas particularidades) mediante uma visão integral do ser, com foco em como essas três partes funcionam e se inter-relacionam.

Alguns teólogos acreditam que somos formados por corpo e alma, em uma divisão em duas partes, no que se chama de pensamento dicotomista. Essa concepção já nos permite perceber a proposta de uma separação entre a parte física e a espiritual. Há também quem creia na tricotomia, como eu, isto é, a separação do nosso ser em três partes distintas: corpo, alma e espírito, como mostra o esquema abaixo.

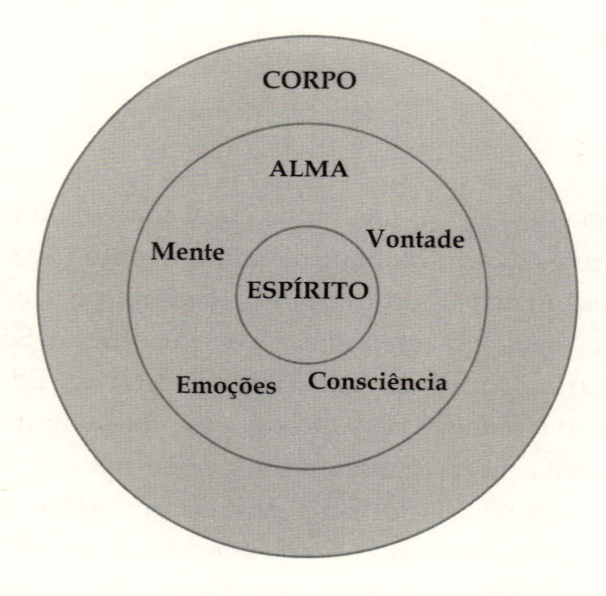

Durante muito tempo, acreditei que as três partes do ser não se comunicavam frequentemente, mas, hoje, entendo que elas são interdependentes. Neste livro, meu desejo é mostrar que é impossível dissociar corpo, alma e espírito; as três partes do ser humano são intimamente conectadas — e devem, todas, honrar e glorificar o Senhor, como partes de uma pessoa completa. Como? É o que veremos adiante.

Desejo que este livro ofereça recursos valiosos para o seu processo de autoconhecimento. Com essa finalidade, vou compartilhar experiências importantes para o processo de conhecer o próprio corpo, identificar como está a alma e, principalmente, estreitar o relacionamento espiritual com o Espírito Santo.

1

Entre punição e libertinagem

Desde pequena, sempre me preocupei em não ser diferente do padrão estipulado pelos meus familiares, tanto em questões físicas quanto comportamentais. Minha preocupação com a aparência tornou-se especialmente exagerada na adolescência, a ponto de virar quase uma obsessão. Todas as dietas eram bem-vindas: da lua, da melancia, dos líquidos e qualquer outra. Sempre que possível, eu passava horas sem comer, a fim de perder um quilinho.

Foi assim que aprendi que desmaio é algo natural na vida de quem não se alimenta direito. Tive vários episódios e cheguei a desfalecer na casa de vizinhos, no ambulatório de enfermagem, no posto telefônico e até no ônibus. Com o passar dos anos, depois de diversas experiências, cheguei à conclusão de que não se alimentar adequadamente não condiz com o bom cuidado com o corpo e que magreza não necessariamente é sinal de saúde e, muito menos, de beleza. De que adianta estar magra e cair pelos cantos?

Os cuidados com o corpo não devem ter como foco a aparência para os outros, mas como nós mesmas nos relacionamos com ele. Precisamos avaliar a imagem que temos de nosso físico, se o aceitamos como é ou se vivemos em constante conflito pessoal, em cirurgias plásticas e tratamentos que alteram o visual.

Os antigos gregos acreditavam que corpo e espírito eram inimigos, sendo o espírito essencialmente bom e a matéria, má. Essa filosofia chama-se gnosticismo, termo originado da palavra grega *gnosis,* isto é, "conhecimento". O gnosticismo influenciou a concepção de vida e os valores de muitas pessoas e culturas.

A percepção que cada indivíduo e sociedade tem do corpo humano dita diretamente sua forma de viver e as decisões que tomará. Para alguns, um corpo mau traz consigo a maldade e o pecado; consequentemente, o sexo passa a ser visto como impuro. Para outros, se o corpo é o culpado por nossa pecaminosidade, precisa ser punido, ora com jejuns forçados, ora com autoflagelação.

A percepção que cada indivíduo e sociedade tem do corpo humano dita diretamente sua forma de viver e as decisões que tomará.

O islamismo, alguns grupos africanos e certas comunidades cristãs enxergam o corpo negativamente, numa visão gnóstica. A castração clitoriana, por exemplo, que é praticada em meninas da Índia e de certas culturas da África, ocorre até os dias atuais. Os homens coordenam essas atividades como ritual de "purificação", a fim de que as mulheres não tenham prazer ao chegar à fase adulta e sejam fiéis ao marido. Esse é um traço clássico e triste de culturas intrinsecamente machistas e gnósticas.

Ainda nessa linha de pensamento, existem os que tratam o corpo com libertinagem, por acreditar que, já que representa algo negativo, não fará diferença o que se faz com ele. Esses tornam-se escravos das próprias vontades e de seus hormônios. Uma vez que esta vida será curta e o corpo, passageiro, os tais advogam que se deve usufruir de todos os prazeres que a matéria puder oferecer, tendo em vista que o espiritual, o transcendente, estaria fora do corpo e seria sempre bom. As pessoas que assim acreditam se envolvem em prazeres sexuais, orgias, glutonarias e bebedices. Esse liberalismo sem limites descarta qualquer consciência ou senso de valor.

Aprendi um pouco sobre essa percepção quando participei de um treinamento para evangelismo feminino, envolvendo dezessete nações, em Maui, no Havaí (EUA). Tive como professora uma senhora convertida do islamismo ao cristianismo, que me ensinou muito sobre como o islã trata a mulher. Os homens muçulmanos casados obrigam a esposa a vestir burcas para evitar que outros homens as desejem. Durante o curso, levantou-se uma pergunta: essa vestimenta desumana resolveu o problema? O silêncio por si só e a expressão do olhar da professora deixaram claro que não, o que é compreensível, pois o pecado nasce no coração.

A visão gnóstica fez surgir uma classe de cristãos para quem só o reino espiritual é valoroso e, consequentemente, o corpo carnal é apenas depósito ou estrutura de sustentação para o espírito. Essas pessoas envolvem-se em longos momentos de oração e de estudo da Palavra de Deus, bem como de serviços à comunidade local, mas não cuidam do corpo. Seu olhar tem como foco o mundo espiritual e a glória corpórea vindoura. Creio plenamente que, na ressurreição, teremos um corpo glorificado, perfeito e sem limites, como a Bíblia nos ensina.

> Irmãos, sigam unidos o meu exemplo e observem os que vivem de acordo com o padrão que apresentamos a vocês. Pois, como já disse repetidas vezes, e agora repito com lágrimas, há muitos que vivem como inimigos da cruz de Cristo. O destino deles é a perdição, o seu deus é o estômago, e eles têm orgulho do que é vergonhoso; só pensam nas coisas terrenas. A nossa cidadania, porém, está nos céus, de onde esperamos ansiosamente o Salvador, o Senhor Jesus Cristo. Pelo poder que o capacita a colocar todas as coisas debaixo do seu domínio, ele

> transformará os nossos corpos humilhados, tornando-os semelhantes ao seu corpo glorioso.
>
> Filipenses 3.17-21

Até o dia em que formos chamadas para junto do Pai, viveremos na terra em representação corpórea. Enquanto isso, devemos preencher nossos dias com uma vida cheia de significado e propósito.

O pecado materializou-se por meio do corpo

No ato da criação, Deus formou, inicialmente, apenas o homem e ordenou a Adão que não comesse do fruto da árvore do conhecimento do bem e do mal, que se encontrava no jardim. Depois, para que Adão não ficasse sozinho, decidiu formar de uma de suas costelas a mulher, para que lhe fosse auxiliadora idônea. Ela foi chamada de Eva. Naquele período, Deus os visitava no Éden e mantinha um relacionamento de perfeita harmonia com eles. Até que, certo dia, algo aconteceu.

> Ora, a serpente era o mais astuto de todos os animais selvagens que o SENHOR Deus tinha feito. E ela perguntou à mulher: "Foi isto mesmo que Deus disse: 'Não comam de nenhum fruto das árvores do jardim'?"
>
> Respondeu a mulher à serpente: "Podemos comer do fruto das árvores do jardim, mas Deus disse: 'Não comam do fruto da árvore que está no meio do jardim, nem toquem nele; do contrário vocês morrerão'".

Disse a serpente à mulher: "Certamente não morrerão! Deus sabe que, no dia em que dele comerem, seus olhos se abrirão, e vocês, como Deus, serão conhecedores do bem e do mal".

Quando a mulher viu que a árvore parecia agradável ao paladar, era atraente aos olhos e, além disso, desejável para dela se obter discernimento, tomou do seu fruto, comeu-o e o deu a seu marido, que comeu também. Os olhos dos dois se abriram, e perceberam que estavam nus; então juntaram folhas de figueira para cobrir-se.

Gênesis 3.1-7

Ainda é bastante presente em nossa cultura o entendimento equivocado de que o pecado original foi cometido exclusivamente por Eva, a mulher, e de que o sexo está relacionado a esse pecado. A mulher realmente pagou, e ainda paga, um alto preço pelo pecado de Eva, desde a queda no Éden. Na cultura judaica havia, inclusive, uma oração em que o homem agradecia ao Pai por todas as coisas, dentre elas por não ter nascido mulher. Pouco se fala da omissão de Adão, no momento em que Eva estava conversando com a serpente. Onde

Ainda é bastante presente em nossa cultura o entendimento equivocado de que o pecado original foi cometido exclusivamente por Eva, a mulher, e de que o sexo está relacionado a esse pecado.

ele estava naquela hora? O primeiro comando a respeito da árvore proibida foi dado a Adão. No entanto, inferimos que essa proibição era um assunto recorrente entre eles, pois Eva também tinha conhecimento dela, assim como a serpente.

O primeiro casal podia comer de tudo no jardim, menos da árvore do conhecimento do bem e do mal. A mulher poderia dar à luz seus filhos sem sentir dor, e o homem não trabalharia em meio a sofrimentos para ter a provisão diária. Mas, após o pecado, houve penalidades (Gn 3.14-19).

O problema dessa situação toda foi a desobediência a Deus, o pecado original, cometido por Adão e Eva. A mulher comeu primeiro, mas Adão não a questionou pela ação e também comeu. Ele foi omisso em seu papel de líder. A transgressão nos separou de Deus, e recebemos, como consequências do pecado, o sofrimento e a morte física e espiritual. A inclinação à transgressão nasce no coração e, então, materializa-se em atitudes corporais, sensoriais. "Mas o que sai da boca procede do coração, e isso contamina o homem. Porque do coração procedem os maus pensamentos, mortes, adultérios, prostituição, furtos, falsos testemunhos e blasfêmias (Mt 15.18-19, RC).

Nosso corpo é muito bom

Nosso corpo é muito especial para o Senhor. No relato da criação, vemos que Deus criou todas as coisas, entre elas o corpo do homem e da mulher, e não considerou a matéria ruim. "E Deus viu tudo o que havia feito, e tudo havia ficado muito bom" (Gn 1.31). Nosso corpo é obra-prima do Senhor.

Mesmo depois da queda, Deus manifestou sua bondade sanando o problema do pecado mediante a encarnação do Filho, Jesus. Ao morrer em meu e em seu lugar, Cristo nos reconciliou com o Pai.

> No princípio, era o Verbo, e o Verbo estava com Deus, e o Verbo era Deus. Ele estava no princípio com Deus. Todas as coisas foram feitas por ele, e sem ele nada do que foi feito se fez. Nele, estava a vida, e a vida era a luz dos homens. [...] E o Verbo se fez carne e habitou entre nós, e vimos a sua glória, como a glória do Unigênito do Pai, cheio de graça e de verdade.
>
> João 1.1-4,14, RC

O Filho encarnou no corpo de Maria, por ação do Espírito Santo, e habitou entre nós. O Deus santíssimo não habitaria em lugar impuro, e ele habitou em um corpo humano. Isso, por si só, já nos mostra que o corpo é bom, porque o Senhor é bom em tudo que faz (Sl 145.17). O pecado reside na descrença e no egocentrismo, resultando na aversão à vontade de Deus revelada em sua Palavra.

Devemos desenvolver um bom relacionamento com nosso corpo, porque o Senhor o fez e o considerou bom. Precisamos cuidar bem dele, amando-o, alimentando-o com cuidado, preservando-o. O primeiro passo é sair da fase da adolescência emocional no que se refere a essa questão, pois é quando somos adolescentes que mais buscamos nos igualar às amigas. Assim, todas do grupo tendem a usar a mesma marca de roupas, maquiagem, o mesmo estilo de cabelo, de sapatos, e por aí vai. Acabamos todas no mesmo padrão, com a mesma expressão facial, corporal e comportamental. Uma monotonia só.

Certa vez, precisei levar minha filha mais nova, de 13 anos, para comprar roupas, a fim de ir a uma festinha de adolescentes. Ela chegou e me disse: "Quero ir à loja a que minhas amigas foram. Elas disseram que lá há roupas lindas". Pensei um pouco e respondi: "Se todas forem comprar na mesma loja, não sairão todas iguais, com o mesmo estilo?". O meu argumento não foi suficiente para convencê-la a mudar de ideia. Quando chegamos à loja, ela só gostava das peças iguais às que alguma amiga havia comprado. Ficamos quase sem opções. Se tivéssemos ido a outro lugar, com certeza teríamos mais variedade e autenticidade. Será que conseguimos ser mais originais em nossas escolhas do que as adolescentes?

Acho bem interessante a experiência de ir ao salão de beleza, pois ela sempre alimenta a jovenzinha que existe dentro de nós. Ao entrar, a cabeleireira me olha, lenta e pensativamente, tem um surto de criatividade e diz: "Samara, você precisa dar um *up* no visual, uma mudada básica". Consequentemente, você começa a imaginar que está horrível, com uma aparência digna de dó. A cabeleireira continua: "Por que não fazemos umas mechas mais claras aqui, ou clareamos um pouco mais as pontas para fazermos uma 'californiana', que está na moda?". Durante um bom tempo, eu realmente acreditei que precisaria ficar mudando muito para ser bela, e confesso que já fiz esses clareamentos várias vezes. Hoje, porém, reflito sobre isso e vejo que não tem graça ficar igual a todo mundo. Eu sei quem sou e que sou bela para o meu Deus, que me amou primeiro, me resgatou e fez novas todas as coisas em minha vida.

O Senhor é criativo e criou-nos com características específicas, diferentes e que refletem quão especiais somos. Se fôssemos todas iguais, realmente seria muito sem graça. Que tipo de estímulo teríamos para conquistar ou conhecer alguém totalmente igual a nós? O Senhor nos fez pessoas únicas, com todas as características que ele planejou quando ainda não tínhamos forma. O salmista Davi disse a Deus acerca dessa realidade: "Tu criaste o íntimo do meu ser e me teceste no ventre de minha mãe" (Sl 139.13).

O Senhor é criativo e criou-nos com características específicas, diferentes e que refletem quão especiais somos. Se fôssemos todas iguais, realmente seria muito sem graça.

Você não é obra do acaso; é obra do grande e amoroso Pai, que decidiu criá-la e dar-lhe vida! Seu corpo não foi feito para punição ou para libertinagem, mas para que o nome do Senhor fosse glorificado. Seu corpo foi formado com características únicas, para servir de habitação à alma, ao espírito e ao Espírito Santo. Seu corpo é bom; aliás, é muito bom! Por essa razão, ele precisa ser cuidado com amor e responsabilidade, pois tudo o que temos e somos importa para Deus: "Por isso, temos o propósito de lhe agradar, quer estejamos no corpo, quer o deixemos" (2Co 5.9).

Para reflexão

1. Como você enxerga seu corpo? Sua maneira de ver sua aparência física condiz com o fato de Deus ter feito seu corpo como algo muito bom?

____

____

____

____

2. Que tipo de beleza você tem procurado demonstrar?

____

____

____

____

3. Que tipo de atitude você tomará para começar um bom relacionamento com o seu corpo?

____

____

____

____

____

Vamos orar

Pai, muito obrigada porque não desististe de mim e me amaste com amor genuíno e maravilhoso. Agradeço porque me deste um corpo muito bom. Ainda com amor extraordinário enviaste teu Filho, Jesus Cristo, encarnado em um corpo humano para morrer pelos meus pecados e me resgatar da morte eterna. Obrigada por teu infinito amor. Amém.

2

A ditadura da beleza

Por mais de vinte anos, as gêmeas idênticas Maria e Katy Campbell têm vivido de uma forma extremamente perturbadora. Durante a adolescência, as duas fizeram um pacto de fome para emagrecer o máximo possível. Essa loucura dura até hoje, e elas, adultas, apresentam um aspecto assustadoramente esquálido. O problema começou quando elas tinham por volta de 11 anos e ouviram o pai dizer à mãe que em breve elas ficariam com quadris maiores. Ao escutar aquilo, as gêmeas chegaram à conclusão de que não queriam que os quadris crescessem, pois achavam que perderiam a beleza infantil. Por isso, resolveram simplesmente parar de comer. A anorexia instalou-se, e até hoje elas apresentam uma aparência esquelética e nada saudável, o que as fez passar a maior parte da vida em clínicas de reabilitação e hospitais.

Maria e Katy simplesmente se recusaram a deixar para trás os padrões estéticos da infância, como resultado de uma ditadura de beleza que não condiz com a natureza das mulheres. Os padrões de perfeição estética são irreais para a esmagadora maioria de nós e, por essa razão, agarrar-se a eles é motivo de muita infelicidade.

Conceitualmente, ditadura significa um regime não democrático ou antidemocrático. Trata-se de um governo em que a participação popular inexiste ou ocorre de maneira muito restrita. O poder concentra-se em apenas uma instância, o executivo, ao contrário do que acontece na democracia, na qual o poder está distribuído entre legislativo, executivo e judiciário. A ditadura da beleza é, então, a imposição de padrões estéticos pela classe economicamente dominante às outras classes.

Os padrões de beleza mudaram muito com o passar do tempo. Na pré-história, as mulheres mais cheinhas simbolizavam o padrão de beleza estética e de fertilidade; na Antiguidade, o estilo romano louvava mulheres curvilíneas, de seios pequenos, pele clara e cabelos longos; na Idade Média, a beleza feminina estava vinculada a um rosto angelical, com lábios pequenos e cabelos loiros, como o dos anjos pintados nas obras de arte; no Renascimento, voltam à cena as mais cheinhas, como um indicativo de *status* social, visto que a abundância alimentícia não era para todos e formas arredondadas e quadris largos eram sinais de volúpia e nobreza. Houve momentos em que testa grande foi símbolo de beleza. Isso levou muitas mulheres a puxarem os cabelos ou aplicar na cabeça uma solução química forte, a fim de fazer cair os cabelos na testa, o que, em contrapartida, provocava reações alérgicas e cicatrizes.

Nos séculos 16 e 17, com o florescimento do estilo barroco, em que a beleza não era apenas externa, mas observada pelo comportamento, eram os movimentos encenados com graça e beleza e o refinamento nas roupas e nos adereços que determinavam quem era bela. As mais cheinhas começaram a perder espaço mais uma vez. A busca pela magreza era tão extrema que, na Inglaterra do século 18, entrou na moda a dieta da tênia: para perder peso, as mulheres ingeriam vermes vivos, a fim de que eles comessem os alimentos e evitassem a absorção de calorias. Quando os vermes cresciam muito, eram retirados. As mulheres passaram a usar espartilhos, com o objetivo de afinar cada vez mais a cintura, o que chegava a fraturar costelas.

No período do Romantismo, quando a beleza estava associada à melancolia e à doença, as moças deveriam ser esquálidas, sem cor e com olheiras; por isso, muitas vezes elas se cortavam, a fim de perder sangue e ficar mais brancas. Não podemos nos esquecer de um dos comportamentos mais bizarros já registrados acerca da ditadura da beleza: na época da dinastia de Tang, na China, entre os séculos 7 e 9, estabeleceu-se que uma mulher com pés pequenos era muito atraente e, por isso, teria muito mais chances de conseguir um bom casamento. Em decorrência disso, as mães das meninas passaram a amarrar os pés de suas filhas, a partir de 4 anos, para que eles não crescessem muito, o que os deformava.

Meu Deus! Submetemo-nos a tantos absurdos ao longo dos séculos por causa da ditadura da beleza! Em nossos dias, o padrão é o de Gisele Bündchen: alta, magra e loira, e, de preferência, também rica, independente e poderosa! Padrão altíssimo de alcançar! A mídia dita os padrões, e nós precisamos segui-los a todo custo. A meta é o ganho financeiro, e não a felicidade da mulher, infelizmente. A indústria da beleza cria novidades de forma cíclica, que são impostas como novos padrões a serem aceitos, o que promove o consumo de novos produtos e procedimentos, a fim de alcançar a beleza tão procurada e tão difícil de encontrar nessa ditadura, que sempre quer tirar mais dinheiro de nosso bolso.

A mídia dita os padrões, e nós precisamos segui-los a todo custo. A meta é o ganho financeiro, e não a felicidade da mulher, infelizmente.

As irmãs Maria e Katy Campbell tinham suas razões para insistir na busca constante pela aparência de criança. O documentário *Does Beauty Matter?* [Beleza importa?], realizado pela rede britânica de televisão BBC, mostrou que, em nossos dias, a beleza dos adultos se configura em pessoas cujo rosto apresenta traços infantis. Segundo os estudos abordados, tudo o que é infantil e convergente é belo, como pele uniforme, olhos grandes, boca carnuda e bochechas rosadas. O programa mostrou que até mesmo as crianças têm um padrão de beleza definido: as pesquisas revelaram que os pequenos sentem-se atraídos por imagens de pessoas sorrindo e com o rosto feliz, e repelem expressões sisudas e raivosas. Consequentemente, o belo é interpretado como alegria e o feio, como tristeza.

A beleza humana já foi estudada cientificamente. Estudiosos e médicos ingleses elaboraram até mesmo um padrão estético universal, que foi traduzido em uma fórmula matemática e geométrica. A boca considerada bela em nossos dias tem uma largura de 4,1 centímetros e o nariz, uma largura ligeiramente menor; o sorriso precisa desenhar um pentágono formado com a ponta a partir do nariz, tendo como base o queixo. É um padrão que jamais alcançarei. Significa que jamais terei a verdadeira beleza? Não necessariamente, como veremos adiante.

A verdadeira beleza

Pesquisadores do VU University Medical Center, em Amsterdã, na Holanda, publicaram um estudo acerca da influência de paisagens naturais sobre o cérebro humano. Cenas com pequenas quantidades de vegetação verde foram apresentadas a pessoas com estresse elevado. Segundo a líder do estudo, Magdalena Van den Berg, observar por pouco tempo essas fotos ajudou os participantes a se recuperarem dos ataques de estresse, e até seus batimentos cardíacos diminuíram bastante. O mesmo não aconteceu quando lhes apresentaram imagens de cenas urbanas, que incluíam prédios e carros. Van den Berg ficou impressionada com o resultado. "Encontrar um efeito relacionado a um estímulo visual tão fraco, e até enfadonho, é surpreendente", disse ela. Esses efeitos aumentavam quando a pessoa era introduzida em um ambiente natural real ou mesmo quando podia observar uma paisagem verde pela janela.

Esse estudo revela como a beleza da natureza criada por Deus impacta o ser humano. Em Deus está a verdadeira beleza e, consequentemente, em tudo o que ele criou! Por mais que construamos arranha-céus, praças e casas, nada se compara ao belo formado pelo Criador. Toda a natureza, incluindo plantas, mares, flora e fauna, é realmente linda e atraente. Fomos criados para o contato com o belo e, naturalmente, nosso anseio é ter um contato íntimo com ele. "Uma coisa pedi ao SENHOR e a procuro: que eu possa viver na casa do SENHOR todos os dias da minha vida, para contemplar a bondade do SENHOR e buscar sua orientação no seu templo" (Sl 27.4).

> Os céus declaram a glória de Deus; o firmamento proclama a obra das suas mãos. Um dia fala disso a outro dia; uma noite o revela a outra noite. Sem discurso nem palavras, não se ouve a sua voz. Mas a sua voz ressoa por toda a terra e as suas palavras até os confins do mundo. Nos céus ele armou uma tenda para o sol, que é como um noivo que sai de seu aposento e se lança em sua carreira com a alegria de um herói. Sai de uma extremidade dos céus e faz o seu trajeto até a outra; nada escapa ao seu calor.
>
> Salmos 19.1-6

Acredito que a humanidade de fato foi criada para admirar o belo. Mas a verdadeira beleza só é encontrada em Deus, pois ele é a origem da beleza. Jesus Cristo revelou-se como Senhor e Salvador e enviou-nos o Espírito Santo para habitar em nós, regenerando-nos, santificando-nos e dando-nos bons olhos e beleza.

> Os olhos são a candeia do corpo. Se os seus olhos forem bons, todo o seu corpo será cheio de luz. Mas se os seus olhos forem maus, todo o seu corpo será cheio de trevas. Portanto, se a luz que está dentro de você são trevas, que tremendas trevas são!
>
> Mateus 6.22-23

A obra do Espírito em nós inclui esse embelezamento. A Bíblia diz que "A beleza é enganosa, e a formosura é passageira; mas a mulher que teme o SENHOR será elogiada" (Pv 31.30). Essa mulher será elogiada porque resplandecerá a glória de Deus em tudo o que fizer, terá bons olhos e coração cheio do desejo ardente de ser bênção na vida de todos, pois os seus valores e o seu foco estão firmados única e exclusivamente na Palavra de Deus.

Você não precisa estar encaixotada nas definições dos outros. Tenha sempre em mente que somos únicas, com digitais e íris específicas. Não somos peças iguais, como as da linha de montagem de uma fábrica, mas peças singulares, criadas com propósitos muito bem definidos.

Não somos peças iguais, como as da linha de montagem de uma fábrica, mas peças singulares, criadas com propósitos muito bem definidos.

Lembro-me de ter conhecido algumas mulheres que me deram um excelente testemunho: ao elogiá-las pela beleza, elas me respondiam: "É Jesus!". Eu ficava intrigada com isso! Como assim "É Jesus"? Jesus transformaria o que é feio em bonito? Hoje sei que a resposta é um maiúsculo SIM. Atualmente, muitas pessoas se aproximam de mim e dizem que estou muito mais bonita, apesar de bem mais velha. Quando paro para pensar sobre essa afirmação, um tanto quanto incoerente aos olhos humanos, mas compreensível à luz de toda a transformação de valores e de atitudes pela qual passei ao longo da vida, consigo responder sem titubear: "É Jesus Cristo em mim, com certeza!".

Não precisamos ser escravas dos conceitos da pós-modernidade, como as irmãs Campbell. E não somente elas, mas grande parte das mulheres tem enfrentado tanto a bulimia quanto a anorexia, e encarado cirurgias plásticas e dietas loucas a fim de atingir um padrão de beleza que passará repentinamente. O resultado, no fim, é o vazio existencial, em busca da beleza exterior, que voltará a perturbar de forma cada vez mais brutal e opressora.

Encha-se da glória de Deus, revelada em Cristo, e seja bela, livre e feliz. Encha-se de Cristo e tenha uma beleza que nem o tempo nem a sociedade conseguirão roubar de você. Seja bela e exuberante, pois o mundo anseia pela revelação das filhas de Deus para esta geração.

Para reflexão

1. Que tipo de pessoas você considera belas? Que características revelam beleza nessas pessoas?

____

____

____

____

2. Como podemos encontrar a verdadeira beleza e desfrutar dela?

____

____

3. Onde está a sua beleza? Será que você a identifica de maneira correta?

Vamos orar

Pai de amor e de beleza, eu te agradeço porque és a origem de tudo o que é belo. Obrigada porque não escondes tua beleza de mim; pelo contrário, tu a revelas por meio da natureza, da tua Palavra e do teu Espírito, que habita em meu coração. Ensina-me a olhar com os teus olhos e a ver a beleza que tu vês, com um coração puro e limpo. Que as belezas passageiras deste mundo não exerçam nenhum fascínio sobre mim. Em nome de Jesus eu peço. Amém.

3

Eu, templo do Espírito Santo

Carla teve uma adolescência cheia de desencontros emocionais, com muitas paqueras e alguns poucos namorados. Aqueles de quem ela gostava não gostavam dela, e quem gostava dela não tinha reciprocidade de sentimentos. Apesar dos desencontros, Carla não perdia a esperança. Durante anos, ela sonhou com sua cerimônia de casamento e a noite de núpcias com o tão esperado "príncipe encantado". A moça não conseguia imaginar que tipo de flores haveria na ornamentação da igreja, quem estaria presente na celebração, que tipo de comida seria servida nem que músicas seriam tocadas e cantadas. Entretanto, o que enchia a sua imaginação de fantasias e expectativas era o que aconteceria depois de toda a celebração, quando a festa já estivesse terminado e o casal estivesse a sós, no quarto.

Em sua imaginação, naquele tão esperado dia ela estaria em um lindo vestido de princesa, branco, com a cintura bem fininha e com uma saia grande e volumosa. Carla sonhava que seria carregada nos braços até o quarto pelo amor de sua vida, recebendo pelo caminho muitos beijos, e quando finalmente chegassem ao leito nupcial aconteceria o entrelaçamento dos corpos e a consumação daquele casamento. Seu desejo era se casar virgem, separada apenas para aquele dia especial.

Infelizmente, Carla não conseguiu cumprir com o propósito, em grande parte por pressão da sociedade. Ela se deixou levar pela ideia de que é preciso experimentar primeiro para ver se o casal combina sexualmente. Também contribuiu para a atitude precipitada a pressão do namorado, que alegava que o sexo seria uma prova do amor dela. A primeira relação sexual foi boa, mas a culpa e o medo de uma possível gravidez encheram seu coração de temor e pavor. Não valeu a pena! A suspeita posterior de uma gravidez deixou-a paralisada. Carla não poderia conviver com essas possibilidades gritando em sua cabeça. Não tinha sido esse o seu ideal inicial. Some-se a isso o fato de a situação levá-la a passar anos tendo de mentir para a família, tomar anticoncepcionais e ir a médicos sorrateiramente.

Certo dia, Carla e o namorado foram alcançados pela graça de Cristo e nele encontraram respostas para todas as suas inseguranças. A salvação fez de seus corpos habitação do Espírito Santo. Com a aquisição da nova consciência, resolveram acatar a vontade de Deus e aguardar até o casamento para manter novas relações sexuais. Nesse período de espera, puderam fortalecer os vínculos de amizade e a decisão de viver um para o outro por todos os dias. O Senhor os perdoou, selou a união e vivificou o relacionamento deles. Finalmente, Carla viveu a tão sonhada noite de núpcias, ajustada pelo Pai, melhor do que costumava imaginar.

Fico pensando quantas "Carlas" existem por aí; mulheres que desistiram dos seus sonhos e entregaram o corpo a alguém que não era nem de longe o "príncipe encantado". O partido ideal pode não ser rico nem bonito, como os príncipes dos contos de fadas, mas será aquele que olhará para você de forma especial e lhe mostrará com dedicação e amor como você é importante para ele. Na ilusória busca por satisfação nesses relacionamentos equivocados, muitas mulheres vão a lugares sombrios e tomam decisões bizarras a fim de preencher o vazio interior. É impressionante perceber como atualmente muitas mulheres se tornaram aficionadas por prostituição, adultério e pornografia.

Segundo estudo publicado na General Social Survey, do Centro Nacional de Pesquisa de Opinião dos Estados Unidos, que avalia a mentalidade dos americanos acerca das mais variadas questões da vida nacional, enquanto o percentual de homens que admitem infidelidade tem se mantido constante pelas últimas duas décadas, o percentual de esposas que reportaram casos extraconjugais aumentou quase

40%.[1] Em *websites* de relacionamento, como o FidelityDating, o número de membros tem sido igualmente dividido entre homens e mulheres.

O adultério, que no passado era uma prática majoritariamente masculina, hoje é igualmente comum a ambos os gêneros. Isso é muito preocupante! Alguns alegam que o adultério feminino sempre existiu, em grandes proporções, mas não era admitido como tem sido na atualidade. Se é ou não apenas uma alegação, é estarrecedor, pois demonstra claramente que as mulheres o cometem com mais convicção do que antes.

O adultério, que no passado era uma prática majoritariamente masculina, hoje é igualmente comum a ambos os gêneros. Isso é muito preocupante!

O consumo de pornografia é outro problema que agride o corpo e a mente de seus usuários. Lamentavelmente, fotos e vídeos de nudez e sexo têm se disseminado de forma incontrolável por meio da Internet, alcançando a todos de formas veladas, por meio de músicas, propagandas, postagens nas redes sociais, reportagens de jornal, revistas, vídeos e até mesmo por conversas banais entre colegas.

De acordo com pesquisa feita pela empresa Typeform para a revista *Marie Claire*, em 2015, 31% das mulheres acessaram pornografia pelo menos uma vez por semana, e outros 30% fizeram-no algumas vezes por mês. Das mulheres que responderam ao questionário, 90% disseram que acessaram conteúdo pornográfico *on-line* e dois terços delas em seus *smartphones*.[2] O consumo de pornografia, antes praticado quase exclusivamente pelos homens, invadiu ferozmente o universo feminino, e tudo indica que veio para ficar. O que antes estava confinado às prateleiras mais altas das bancas de revistas, agora está bem acessível a apenas um clique.

A pornografia na Internet causa danos às mulheres, sejam consumidoras ou esposas de consumidores, pois delineia uma expectativa cultural de aparência e comportamento sexual que não condiz com a realidade. A pornografia influencia negativamente a saúde e o bem-estar das mulheres que a consomem e das esposas de consumidores. Se procuramos um casamento baseado no respeito mútuo, na honestidade, no poder compartilhado e no amor romântico, é importante saber que a pornografia traz à tona exatamente o contrário: relacionamentos baseados em desrespeito, desconexão, promiscuidade e, em geral, abuso. Muitos casamentos têm sido destruídos em decorrência desse problema.

O corpo passou a ser moeda de troca, e as mulheres começaram a ser escravizadas pelas loucuras da animalização do ser humano. Elas deixaram de refletir a beleza de Deus para se tornarem como bichos, sem senso de respeito, valor ou dignidade. Não nos encontramos diferentes dos romanos aos quais o apóstolo Paulo escreveu:

Pois desde a criação do mundo os atributos invisíveis de Deus, seu eterno poder e sua natureza divina, têm sido vistos claramente, sendo compreendidos por meio das coisas criadas, de forma que tais homens são indesculpáveis; porque, tendo conhecido a Deus, não o glorificaram como Deus, nem lhe renderam graças, mas os seus pensamentos tornaram-se fúteis e o coração insensato deles obscureceu-se. Dizendo-se sábios, tornaram-se loucos e trocaram a glória do Deus imortal por imagens feitas segundo a semelhança do homem mortal, bem como de pássaros, quadrúpedes e répteis.

Por isso Deus os entregou à impureza sexual, segundo os desejos pecaminosos do seu coração, para a degradação do seu corpo entre si. Trocaram a verdade de Deus pela mentira, e adoraram e serviram a coisas e seres criados, em lugar do Criador, que é bendito para sempre. Amém.

Por causa disso Deus os entregou a paixões vergonhosas. Até suas mulheres trocaram suas relações sexuais naturais por outras, contrárias à natureza. Da mesma forma, os homens também abandonaram as relações naturais com as mulheres e se inflamaram de paixão uns pelos outros. Começaram a cometer atos indecentes, homens com homens, e receberam em si mesmos o castigo merecido pela sua perversão.

Além do mais, visto que desprezaram o conhecimento de Deus, ele os entregou a uma disposição mental reprovável, para praticarem o que não deviam. Tornaram-se cheios de toda sorte de injustiça, maldade, ganância e depravação. Estão cheios de

> inveja, homicídio, rivalidades, engano e malícia. São bisbilhoteiros, caluniadores, inimigos de Deus, insolentes, arrogantes e presunçosos; inventam maneiras de praticar o mal; desobedecem a seus pais; são insensatos, desleais, sem amor pela família, implacáveis. Embora conheçam o justo decreto de Deus, de que as pessoas que praticam tais coisas merecem a morte, não somente continuam a praticá-las, mas também aprovam aqueles que as praticam.
>
> Romanos 1.20-32

A exploração da sexualidade de modo nada saudável não encontra limites e vai muito além da Internet. O padrão sexual feminino vem sendo manipulado por pessoas que nada acrescentam às mulheres. A escritora E. L. James, por exemplo, autora do livro *Cinquenta tons de cinza*, foi considerada pela revista *Time* umas das cem pessoas mais influentes do mundo em 2012. No ano seguinte, ela entrou para a lista das cem celebridades mais poderosas da revista *Forbes*. Isso é grave. O livro desvaloriza imensamente a mulher e o corpo feminino. A protagonista é apresentada como mero objeto de prazer de um homem que, por ser rico e lindo, a leva a se rebaixar e a se sujeitar a todo capricho sexual dele. Na história, ele a trata como prostituta e a envolve em situações de desprezo e dor, fruto de uma submissão doentia.

O amor bíblico entre um homem e uma mulher apresenta a submissão da esposa como fruto não da sexualidade desvirtuada, mas do amor doador, que se preocupa não em humilhar, mas em santificar. A esse respeito, Paulo escreveu:

> Mulheres, sujeite-se cada uma a seu marido, como ao Senhor, pois o marido é o cabeça da mulher, como também Cristo é o cabeça da igreja, que é o seu corpo, do qual ele é o Salvador. Assim como a igreja está sujeita a Cristo, também as mulheres estejam em tudo sujeitas a seus maridos.
>
> Maridos, ame cada um a sua mulher, assim como Cristo amou a igreja e entregou-se por ela para santificá-la, tendo-a purificado pelo lavar da água mediante a palavra, e para apresentá-la a si mesmo como igreja gloriosa, sem mancha nem ruga ou coisa semelhante, mas santa e inculpável. Da mesma forma, os maridos devem amar cada um a sua mulher como a seu próprio corpo. Quem ama sua mulher, ama a si mesmo. Além do mais, ninguém jamais odiou o seu próprio corpo, antes o alimenta e dele cuida, como também Cristo faz com a igreja, pois somos membros do seu corpo. "Por essa razão, o homem deixará pai e mãe e se unirá à sua mulher, e os dois se tornarão uma só carne". Este é um mistério profundo; refiro-me, porém, a Cristo e à igreja. Portanto, cada um de vocês também ame a sua mulher como a você mesmo, e a mulher trate o marido com todo o respeito.
>
> Efésios 5.22-33

As mulheres que não compreendem a submissão bíblica odeiam essa passagem. Já eu a amo, pois mostra que o Senhor sabe que nós precisamos ser aceitas e amadas. O apóstolo Paulo frisa pelo menos quatro vezes nesse trecho que o homem deve amar sua mulher, e esse amor deve ser expresso de algumas formas: entregando-se por ela, amando-a como a si mesmo, alimentando-a e zelando por ela.

Esse amor também é demonstrado pelo marido quando deixa sua família de origem e se torna um com a esposa. Sinceramente, a nossa parte é a mais simples! Pensemos: se eu tenho um marido que me ama como a si mesmo, que cuida de mim, que deixou sua família de origem para tornar-se um comigo, a que tipo de humilhação esse homem vai me submeter? A nenhuma! A submissão e o respeito virão naturalmente, jorrando de um coração que se sente amado e cuidado. É a união perfeita! Quem é amada submete-se docilmente ao seu amado, e tem alegria de afirmar: "O meu amado é meu, e eu sou dele; ele pastoreia entre os lírios. Volte, amado meu, antes que rompa o dia e fujam as sombras; seja como a gazela ou como o cervo novo nas colinas escarpadas" (Ct 2.16-17).

Se eu tenho um marido que me ama como a si mesmo [...], [a] submissão e o respeito virão naturalmente, jorrando de um coração que se sente amado e cuidado. É a união perfeita!

Nosso ser declara que nós, mulheres, precisamos desse amor zeloso e cuidador, mesmo que a sociedade grite o contrário. Aliás, ansiamos ardentemente por encontrá-lo! Com esse conhecimento bíblico você poderá descartar instantaneamente obras literárias pornográficas e depreciativas, em vez de tê-las como padrão de conduta sexual para sua vida. O amor verdadeiro de um homem por uma mulher jamais deverá colocá-la em meio a dores físicas ou situações em que seu corpo e sua honra sejam desvalorizados. Prazer com dor é algo totalmente oposto ao que o evangelho de Cristo ensina.

Não podemos fazer o que quisermos com nosso corpo. Lembre-se, sempre, de que ele é morada do Espírito Santo! Esse entendimento deve nos levar a uma reflexão profunda sobre a imposição de práticas imorais ao corpo. O apóstolo Paulo escreveu:

> "Tudo me é permitido", mas nem tudo convém. "Tudo me é permitido", mas eu não deixarei que nada me domine. "Os alimentos foram feitos para o estômago e o estômago para os alimentos", mas Deus destruirá ambos. O corpo, porém, não é para a imoralidade, mas para o Senhor, e o Senhor para o corpo. Por seu poder, Deus ressuscitou o Senhor e também nos ressuscitará. Vocês não sabem que os seus corpos são membros de Cristo? Tomarei eu os membros de Cristo e os unirei a uma prostituta? De maneira nenhuma! Vocês não sabem que aquele que se une a uma prostituta é um corpo com ela? Pois como está escrito: "Os dois serão uma só carne". Mas aquele que se une ao Senhor é um espírito com ele.

> Fujam da imoralidade sexual. Todos os outros pecados que alguém comete, fora do corpo os comete; mas quem peca sexualmente, peca contra o seu próprio corpo. Acaso não sabem que o corpo de vocês é santuário do Espírito Santo que habita em vocês, que lhes foi dado por Deus, e que vocês não são de vocês mesmos? Vocês foram comprados por alto preço. Portanto, glorifiquem a Deus com o seu próprio corpo.
>
> 1Coríntios 6.12-20

Essa passagem faz parte de uma carta enviada pelo apóstolo Paulo aos coríntios, que estavam utilizando a liberdade encontrada em Cristo como desculpa para fazer o que bem quisessem com seu corpo. Paulo faz, então, o contraponto dessa liberdade, pois os desejos dos homens não deveriam sobrepujar a vontade de Deus para o corpo humano. Também não devemos nos preocupar demasiadamente com o que comemos, pois podemos ser escravizados pelas coisas que fomos chamados a dominar. Liberdade é uma coisa; o mau uso dela é outra totalmente diferente.

Nosso corpo pertence ao Senhor, que o ressuscitará no último dia. Cristo está tão solidamente unido a nós, e nós a ele, que nos tornamos um só corpo com o Senhor. Se me uno a outros em comportamentos sexuais ilícitos, sexo antes do casamento e prostituição, afasto-me de Cristo, criando distância entre ele e mim. Isso seria totalmente repulsivo.

Qualquer envolvimento sexual deveria estar selado pelo casamento.

Muitos gregos rejeitavam a ideia da ressurreição corpórea porque acreditavam que a morte separava permanentemente o corpo do espírito. É por isso que nessa passagem Paulo fala especificamente sobre o cuidado com o corpo, lembrando os coríntios de que o Senhor habita nele. O corpo dos salvos foi comprado da escravidão do pecado e da morte pela entrega sacrificial de Jesus à cruz e por sua ressurreição vitoriosa. Nós pertencemos a Deus e devemos glorificá-lo com nosso corpo!

Cuidados em todas as áreas

Quão miseráveis nos tornamos! Nosso corpo foi feito pelo Criador para resplandecer a glória dele, não para ser usado ou usurpado sexualmente, tampouco para ser *sex symbol* ou viver à disposição de quaisquer homens. Algumas mulheres usam o corpo para provocar inveja em outras. Nosso corpo não foi feito para causar nenhum sentimento negativo no próximo:

> Rogo-vos, pois, irmãos, pela compaixão de Deus, que apresenteis o vosso corpo em sacrifício vivo, santo e agradável a Deus, que é o vosso culto racional. E não vos conformeis com este mundo, mas transformai-vos pela renovação do vosso entendimento, para que experimenteis qual seja a boa, agradável e perfeita vontade de Deus.
>
> Romanos 12.1-2, RC

Somos mulheres inteligentes e livres para conhecer mais a Deus e decidir viver conforme a direção dele, sem nos sujeitarmos a todo e qualquer tipo de ideologia ou visão de mundo que chega à nossa porta. Precisamos questionar se o que nos é imposto está de acordo com o que a Escritura aprova, e isso em todas as áreas. Nosso corpo é habitação do Espírito Santo, que merece uma moradia limpa e bem cuidada. "Que acordo há entre o templo de Deus e os ídolos? Pois somos santuário do Deus vivo. Como disse Deus: 'Habitarei com eles e entre eles andarei; serei o seu Deus, e eles serão o meu povo'" (2Co 6.16).

Somos mulheres inteligentes e livres para conhecer mais a Deus e decidir viver conforme a direção dele, sem nos sujeitarmos a todo e qualquer tipo de ideologia ou visão de mundo que chega à nossa porta.

Como santuário do Deus vivo, quero estar pura, preparada e adornada para o meu Senhor. Cuidar da saúde física também é sinal de que sou boa mantenedora daquilo que Deus me deu. Por essa razão, devemos tomar cuidado em todas as áreas da vida para que o corpo esteja sempre saudável e apresentável no que se refere a alimentação, exercícios e vestuário.

Procurar alimentos saudáveis e naturais foi uma decisão que tomei recentemente, pois recusava-me a comer verduras e legumes e a adicionar novos elementos ao meu cardápio. Mas, ao entender que precisava nutrir meu organismo de modo que glorificasse aquele que nele habita, fiz um trabalho de reprogramação cerebral — uma vez que tudo começa nos pensamentos — e aventurei-me a experimentar novos sabores. Eu pensava comigo mesma: "Abra a mente, teste algo novo". Faça isso com um alimento de cada vez. Isto é, uma novidade por vez.

Hoje tenho imenso prazer em preparar um prato saudável e colorido, provando a variedade de sabores a cada garfada. Essa guinada envolve mudança de paradigmas. Mas é possível! Aos poucos, ganhei segurança e passei a diminuir a ingestão de açúcares e farinha branca. Não foi fácil, por isso apelei para jejuns, pois sabia que com Deus eu não poderia deixar de cumprir ou agir irresponsavelmente. Quando decidi fazer jejum de farinha branca pela primeira vez, foi muito difícil. Ao longo de quarenta dias, evitei bolos, pães, tortas, massas e derivados. Na primeira semana, comecei a sonhar com *pizzas* que voavam sobre a minha cabeça. Passado o tempo proposto para o jejum, felizmente consegui vencer. As modificações positivas no meu corpo foram bastante visíveis. Que tal você começar a se cuidar nessa área também?

Com relação às atividades físicas, tudo foi mais fácil, uma vez que pratico exercícios desde a adolescência. Tenho enorme prazer em me exercitar. Optei por fazer caminhadas e, quando tenho disposição, arrisco um trote, uma corridinha. A endorfina, a serotonina e os demais neurotransmissores que provocam prazer físico são produzidos nessas atividades. Gosto de optar por exercícios que todos possam fazer e que não exijam altos investimentos financeiros.

Ouvir as mensagens sobre cansaço e disposição do nosso corpo também faz parte do relacionamento com ele, e é muito importante para o nosso equilíbrio. Você tem prestado atenção aos sinais que o seu corpo vem enviando? Seja sensível ao que ele está comunicando. Quando não estamos bem, nossa estrutura física emite sinais, e é muito bom que tenhamos sabedoria para discerni-los. Porque, se não prestarmos atenção a eles, talvez o corpo nos faça parar, a fim de que prestemos. Foi o que aconteceu comigo, como relatarei mais adiante.

Um corpo saudável deve trajar vestes bonitas e que nos apresentem como mulheres de Deus. "Pois o seu Criador é o seu marido, o SENHOR dos Exércitos é o seu nome" (Is 54.5). Devo estar sempre bonita para o meu Senhor, como convém à noiva se apresentar ao noivo. Isso não é maravilhoso? Mesmo se estivermos sozinhas, teremos um noivo zeloso, que se importa conosco. Por ele e para ele teremos uma motivação para nos alegrar e nos preparar.

> Da mesma forma, quero que as mulheres se vistam modestamente, com decência e discrição, não se

> adornando com tranças e com ouro, nem com pérolas ou com roupas caras, mas com boas obras, como convém a mulheres que declaram adorar a Deus.
>
> 1Timóteo 2.9-10

Minha beleza deve ser direcionada exclusivamente para meu Deus e para meu marido. Quando penso em me arrumar para sair, por exemplo, não levo em conta o que as mulheres vão pensar ou imaginar a meu respeito. Essa motivação é muito mais saudável do que a ostentação ou a vanglória pessoal. Devemos nos revestir dos conceitos bíblicos, em vez de viver cheias de conceitos assimilados de novelas, revistas ou pessoas que não seguem a Palavra de Deus. A orientação bíblica é:

> A beleza de vocês não deve estar nos enfeites exteriores, como cabelos trançados e joias de ouro ou roupas finas. Ao contrário, esteja no ser interior, que não perece, beleza demonstrada num espírito dócil e tranquilo, o que é de grande valor para Deus.
>
> 1Pedro 3.3-4

Que a sua beleza seja revelada e exalada pela doce e maravilhosa presença do Senhor que habita em você, em um corpo cheio de vida e saúde, e dedicado ao reino de Deus!

Para reflexão

1. Você tem tratado seu corpo de modo que honre a habitação do Espírito Santo?

____
____
____
____
____

2. Quais pecados você tem cometido contra seu corpo? Que atitudes pode tomar para deixar de praticá-los?

____
____
____
____
____

3. Como você tem se vestido? Seu modo de se apresentar glorifica a Deus e honra seu marido, ou traduz pensamentos equivocados?

____
____
____
____
____

Vamos orar

Senhor Deus e Pai, peço perdão! Escolheste-me para ser morada do teu Espírito Santo e, muitas vezes, sou negligente ao arrumar ou preparar o templo de teu Espírito. Arrependo-me por não cuidar do meu corpo adequadamente e por utilizá-lo muitas vezes de modo equivocado. Quero consagrar meu corpo como morada tua, todos os dias de minha vida. Ajuda-me a cumprir essa promessa. Em nome de Jesus. Amém.

4

Eu e minhas emoções

Deus sempre busca aqueles cujo coração está voltado para ele e para a sua vontade. A Bíblia deixa isso muito claro. Um exemplo clássico é Davi. Quando o Senhor envia Samuel para dizer ao rei Saul que ele perderia o trono de Israel, observe qual característica é destacada pelo profeta como diferencial daquele que seria o sucessor.

> Disse Samuel: "Você agiu como tolo, desobedecendo ao mandamento que o SENHOR, o seu Deus, deu a você; se tivesse obedecido, ele teria estabelecido para sempre o seu reinado sobre Israel. Mas agora o seu reinado não permanecerá; o SENHOR procurou *um homem segundo o seu coração* e o designou líder de seu povo, pois você não obedeceu ao mandamento do SENHOR".
>
> 1Samuel 13.13-14

Um homem segundo o coração de Deus. Eis a característica central daquele que foi divinamente escolhido para reinar sobre Israel. Enquanto o ser humano atenta para a aparência, Deus perscruta o coração. Sempre que, na Bíblia, o texto faz referência de modo figurado ao *coração*, não está se referindo ao órgão que bombeia sangue, mas à alma humana. Portanto, ser um homem segundo o coração de Deus significa que Davi tinha uma alma em sintonia com o Todo-poderoso.

Quando Samuel é enviado à casa da família de Davi, ninguém imagina ser aquele rapazinho o eleito de Deus. Nem seu pai, muito menos o profeta Samuel. Somente quando o Senhor fala a Samuel é que fica claro seu critério de escolha: "O SENHOR não vê como o homem: o homem vê a aparência, mas o SENHOR vê o coração" (1Sm 16.7). Deus apreciava a alma de Davi e como ela se conectava a ele.

Uma das armadilhas em que mais caímos nos relacionamentos é a que nos leva a avaliar apenas a aparência. O Senhor, porém, enxerga fundo na alma humana. Davi não foi um homem sem pecado, mas alguém que se via como pecador e carente do perdão e da graça divinos. Ele se arrependia e chorava aos pés do Pai, derramando o coração no altar, deixando de lado a vergonha humana. Muitas vezes, pranteava, cantava, escrevia poesias e dançava: seu relacionamento com o Criador era direto, sem máscaras, escancarando-lhe todas as suas emoções.

Deus quer ter um relacionamento sem barreiras conosco, e isso envolve transparência de mente, vontade, consciência e emoções, isto é, tudo aquilo que tem origem na alma humana. Estou de acordo com a linha da teologia que acredita que da alma procedem as ambições, a identidade interior, as inclinações emocionais e o senso do *eu*.

Pesquisadores encontraram evidências conclusivas de que pelo menos seis emoções humanas estão presentes nas expressões faciais de absolutamente todas as pessoas do planeta, de culturas diferentes e contextos distintos, até mesmo em povos que viveram em isolamento do resto do mundo por séculos. São elas: alegria, raiva, nojo, medo, surpresa e tristeza.[1]

As emoções compõem-se de elementos subjetivos, comportamentais e fisiológicos. Seus aspectos mais vívidos provavelmente são os pensamentos e os sentimentos, que se entrelaçam de maneira subjetiva. Respostas emocionais transparecem em expressões faciais, gestos e ações, gerando reações físicas como tremores, enrubescimento, palidez, transpiração, respiração acelerada ou vertigem.

Quando vivemos uma experiência, geralmente a interpretamos pela perspectiva emocional. Dizemos coisas como "Venci a partida e sinto-me feliz" e "Fui mal na prova e sinto-me deprimido". Essa interpretação é conhecida como avaliação cognitiva, ou avaliação de consciência, e nos ajuda a determinar o tipo de emoção que sentimos, bem como sua intensidade. Quando vivemos de acordo com a vontade do Senhor, temos a nossa avaliação cognitiva ajustada e alterada. Passamos a avaliar as situações que vivenciamos pela ótica bíblica e, a partir de então, equilibramos as emoções. Mas, se não conhecemos

Jesus, a mente, a vontade, as emoções e a consciência passam a guiar tudo o que fazemos.

O que tem acontecido com nossas emoções?

Quando nos afastamos de Deus, as emoções ficam totalmente desordenadas. Uma pesquisa realizada pela Organização Mundial da Saúde (OMS) revela que 33% da população mundial sofre de ansiedade, o que leva a mudanças de comportamento e ao abuso de substâncias químicas. O estudo mostra ainda que 90% das pessoas do planeta sofrem de algum nível de estresse. Esse cenário está associado ao desenvolvimento de uma série de patologias, como câncer, depressão, diabetes e hipertensão. E a perspectiva não é das melhores: a pesquisa da OMS estima que a depressão será a doença mais comum do mundo em 2030. Tudo fruto de almas adoentadas.[2]

Falamos com quem está longe por meio digital e desprezamos quem está perto; com isso, não desenvolvemos relacionamentos profundos. O resultado é uma sociedade adoecida, a começar pelas emoções.

Esses dados nos revelam como estamos adoecendo lenta e coletivamente. Embora disponhamos de muita tecnologia e infraestrutura, estamos cada vez mais desconectados uns dos outros e de Deus. Falamos com quem está longe por meio digital e desprezamos quem está perto; com isso, não desenvolvemos relacionamentos profundos. O resultado é uma sociedade adoecida, a começar pelas emoções.

Em nossos tempos, as pessoas vivem atribuladas e desanimadas. Isso é consequência principalmente do distanciamento do Deus que nos dá promessas de paz e ânimo: "Eu lhes disse essas coisas para que em mim vocês tenham *paz*. Neste mundo vocês terão aflições; contudo, tenham ânimo! Eu venci o mundo" (Jo 16.33). Como disse Davi, "Em paz me deito e logo adormeço, pois só tu, SENHOR, me fazes viver em segurança" (Sl 4.8). Se conseguirmos alcançar o nível de equilíbrio emocional que Davi expressou, teremos muita paz e viveremos emoções positivas, em vez de ansiedade, depressão e estresse. Jesus nos chama:

> Venham a mim, todos os que estão cansados e sobrecarregados, e eu darei descanso a vocês. Tomem sobre o meu jugo e aprendam de mim, pois sou manso e humilde de coração, e vocês encontrarão descanso para as suas almas.
>
> Mateus 11.28-29

Por ser subjetiva, cada emoção poderá ter interpretações diferenciadas. O que provoca tristeza em uns pode despertar alegria em outros. Toda experiência que vivenciamos deixa uma marca na alma, que também registra as emoções experimentadas em cada circunstância. É como se arquivássemos desde o berço o que nos traz alegria, tristeza, raiva, medo, surpresa, nojo e outras emoções relacionadas. Cada registro ocorre de acordo com a percepção da pessoa das experiências vividas. Isso fica claro quando observamos uma família, por exemplo, com filhos trigêmeos univitelinos. Embora eles tenham genética idêntica, mesmos pais, contextos e sido submetidos aos mesmos valores, percebemos que cada filho se torna um indivíduo único, diferente dos demais irmãos. Isso ocorre porque as experiências vividas e percebidas por cada um deixou marcas peculiares e únicas. Deus é tão criativo que, mesmo em uma família com dezesseis filhos, como a de uma de minhas avós, todos são diferentes, com características bem definidas e exclusivas de personalidade, gosto, aparência e emoções.

Nossa história de vida é como uma corrente, com elos concatenados uns aos outros. Cada experiência se conecta às outras de modo específico. Assim, quando sentimos determinada emoção, a memória nos remete a experiências passadas, que, por sua vez, ativam emoções que ficaram impressas na alma. Muitos desses registros são consolidados até os 10 anos, por isso, como a psicologia mostra, a infância é tão importante na formação emocional de cada indivíduo.

Quando vivo uma situação de conquista pessoal, por exemplo, sempre me lembro da emoção que senti quando li meu nome na lista afixada na parede da escola em que estudei, com minha aprovação para entrar na universidade. Li meu nome, saí correndo, parei e pensei: "Será que foi verdade o que eu li? Era meu nome mesmo que estava ali?". Cheguei a correr de volta para ler novamente, de tão emocionada que fiquei! Também me lembro do que senti quando tomei conhecimento da aprovação no concurso público para o cargo em que trabalho hoje.

Emoções atuais sempre nos remetem a outras vividas anteriormente, positivas ou negativas. Por isso, precisamos nos conhecer bem, a fim de tratar elos problemáticos da corrente que prejudiquem a percepção que temos de nós mesmas e dos outros. É muito importante estar bem consigo, com o próximo e com o Senhor. Emoções negativas acumuladas no decorrer dos anos adoecem a alma e, muitas vezes, o corpo. É o que chamamos comumente de doença psicossomática, uma das maiores provas de que os elementos que compõem nosso ser estão interconectados e se relacionam intimamente.

A história de uma mulher chamada Bernadete ilustra bem essa questão. Ela acompanhou a separação dos pais quando ainda era criança e, embora não desejasse isso, sua opinião não foi levada em conta. A menina nutria um amor enorme pelo pai, que, de repente, já não estava em casa. Vieram as angústias: se sua companhia não era mais acessível como antes, como ficariam os passeios de final de tarde na praia e na praça? Quem iria com ela ao zoológico da cidade ou teria paciência de ajudá-la com o dever de casa? A mãe não dava conta da carência dos filhos. Aos poucos, a situação foi provocando revolta, e

Bernadete tornou-se uma adolescente rebelde que desafiava a mãe em tudo, pois a culpava, em seu coração, pela ausência do pai. Ele acabou casando novamente, e sua nova companheira também não facilitava os encontros e os momentos entre o pai e os filhos. Ao longo dos anos, foi surgindo uma série de conflitos na alma de todos, prejudicando o relacionamento de Bernadete com a mãe, o pai e a madrasta. Muitas lacunas emocionais começaram a surgir na alma dela, o que fez brotar angústia, tristeza, carência e decepção.

Situações como essa infelizmente são uma realidade na vida de muitas famílias. O divórcio é um mal que assola milhares de casais, e os índices não param de crescer. Os mais prejudicados nesse processo são os filhos, que ficam emocionalmente frágeis, inseguros e indefesos com relação ao futuro. Eles acabam sem saber como administrar a fartura de lacunas em seus sentimentos e em suas emoções.

O divórcio é um mal que assola milhares de casais, e os índices não param de crescer. Os mais prejudicados nesse processo são os filhos, que ficam emocionalmente frágeis, inseguros e indefesos com relação ao futuro.

Muitos anos após o divórcio dos pais, Bernadete teve um encontro com Jesus, que purificou a sua consciência e a preparou para abrir o coração para a madrasta e expor-lhe todas as suas dores e frustrações. Nesse encontro, Bernadete viveu o que a

Palavra de Deus diz: "A resposta calma desvia a fúria, mas a palavra ríspida desperta a ira" (Pv 15.1). Ela externou como sofrera com a ausência do pai, como era difícil ir visitá-lo por não ter um bom acesso a ele, e como não se sentia à vontade na presença dela. Como tantas outras mulheres, Bernadete não tivera opção, mas recebera de presente todas as consequências ruins de uma família desfeita.

Foi um dos dias mais difíceis para Bernadete, mas também um dos melhores. Ela pôs para fora todas as emoções relativas à separação do pai, de modo assertivo. Embora tenha ouvido palavras duras, conseguiu expressar suas dores de forma clara, objetiva e segura. Sem agredir ninguém, ela expôs como havia se sentido durante todo aquele tempo. Foi, para ela, um momento de libertação e cura da alma. Depois desse dia, a madrasta passou a convidar todos os filhos para reuniões de família, além de tornar-se mais atenta ao relacionamento entre eles. Bernadete livrou-se de um grande peso da alma, dissipando-se, consequentemente, a sensação de angústia e de insuficiência.

Precisamos ser claros nos relacionamentos; externar vontades e dores, e admitir medos, ansiedades e nossa dependência de Deus. Estamos adoecendo na alma porque não queremos admitir que precisamos dos outros para ser felizes e completas. Queremos ser autônomas, autossuficientes e fortes em todos os momentos, o que contraria nossa natureza.

Jesus fez-se humano e, com isso, sujeito a emoções humanas. É interessante que ele não se privou de demonstrá-las. Jesus chorou ao ver a tristeza das pessoas presentes na casa de Lázaro após a morte deste (Jo 11.35-36). No Getsêmani, antes da crucificação, Cristo também se derramou diante do Pai: "Indo um pouco mais adiante, prostrou-se com o rosto em terra e orou: 'Meu Pai, se for possível, afasta de mim este cálice; contudo, não seja como eu quero, mas sim como tu queres'" (Mt 26.39). Jesus é o nosso modelo de transparência emocional e relacional. Assim como ele, não devemos esconder o que sentimos, muito menos nos recusar a expressar as emoções; pelo contrário, precisamos ser humildes a ponto de trazer à tona nossas fragilidades, a fim de ser fortalecidas.

Nunca poderemos cumprir o mandamento bíblico de amar os outros como a nós mesmas se não tivermos o mínimo de amor-próprio. E, se temos alguma dificuldade de valorizar quem somos, devemos lembrar que Cristo nos valoriza tanto que fez de nós pessoas amadas (Jo 3.16), justificadas (Rm 8.33), adotadas (Ef 1.5), abençoadas (Ef 1.3) e perdoadas (1Jo 2.12).

Nunca poderemos cumprir o mandamento bíblico de amar os outros como a nós mesmas se não tivermos o mínimo de amor-próprio.

O chamado de Jesus para nós é que vivamos em amor uns com os outros, em relacionamentos saudáveis e alegres, na certeza de que a felicidade vem de relacionamentos felizes. A Palavra de Deus valoriza enormemente as relações interpessoais e, portanto, devemos valorizá-las também (Rm 12.10,15-16; 15.7; Gl 6.2; Ef 4.2; Cl 3.9; 1Pe 4.8). Nosso desequilíbrio emocional começa nas relações pessoais, porque as pessoas que amamos geralmente acabam nos frustrando de uma forma ou de outra. Essa frustração acontece em razão do padrão de expectativa que depositamos em toda relação de convivência. Criamos um ideal de comportamento alheio e, quando esse ideal não é correspondido, ficamos chateadas, iniciando-se uma série de desentendimentos e tristezas. Não podemos mudar os outros, mas podemos mudar a nós mesmas — e essa é a melhor mudança!

Encontramos o modelo máximo de equilíbrio emocional em Jesus. A boa notícia é que esse modelo está à nossa disposição. Por isso, precisamos buscá-lo com todas as forças, vivendo de acordo com o que já alcançamos nele até agora. Não podemos parar nessa busca, mas prosseguir, entregando a Cristo as emoções, sem freios e de modo transparente, em amor e verdade.

Para reflexão

1. Quais são as suas maiores dificuldades no que se refere ao trato com as emoções?

2. Como você vê seu relacionamento com Deus hoje: próximo ou distante? De que modo você crê que sua distância do Senhor está afetando suas emoções?

____

3. Que tipo de expectativa você tem dos outros? Que tal começar a mudança em você?

____

Vamos orar

Deus de amor, muito obrigada porque me conheces desde o ventre de minha mãe e esquadrinhas o meu andar e o meu deitar. Vê se há algum caminho mau em mim e guia-me pelo caminho eterno. Eu te entrego toda a minha alma: a mente, as vontades, as emoções e a consciência. Quero ter a mente de Cristo e exalar o seu bom perfume onde quer que esteja. Em nome de Jesus. Amém.

5

Um pouco de razão faz bem

A sociedade nos impõe padrões de vida que divergem dos bíblicos. Ao aceitá-los sem questionar, acabamos adoecendo coletivamente, no corpo e nas emoções. Isso tem relação direta com o cumprimento de nossos papéis sexuais, isto é, com aquilo que se espera de um homem e de uma mulher em suas funções na sociedade. A sociedade espera que cada mulher desempenhe um papel expressivo, atenda às necessidades psicológicas e físicas dos familiares e promova a harmonia. Já dos homens o que se espera é que sejam dominadores, ativos, realizadores e tranquilos, que desempenhem papéis instrumentais e controlem o dinheiro e o poder. Quando o desempenho desses papéis não é satisfatório para os demais, não sabemos como gerenciar essa frustração e, consequentemente, surgem conflitos.

Em decorrência de como enfrentam os problemas, as mulheres acabam tendo mais medo, ansiedade e depressão que os homens. Como lidar com essa questão? É o que veremos em seguida.

Medo

Beatriz é uma grande amiga, uma mulher de Deus. Ela é bastante corajosa, mas uma coisa a deixa paralisada: entrar na máquina para submeter-se a um exame de tomografia computadorizada ou ressonância magnética. Certo dia, ela precisou encarar seu medo. Como sentia muitas dores no abdômen, teria de fazer uma tomografia, mas o pavor a dominava de tal modo que ela pensou em desistir. Conversamos sobre a questão, e ela disse: "Tenho medo de sofrer uma parada cardíaca dentro da máquina". Então, comecei a lhe fazer perguntas importantes:

— Quantas pessoas já morreram fazendo esse exame? Eu não conheço nenhuma. Você conhece alguma?

— Não.

— Se fosse um exame realmente perigoso, todas as clínicas que o realizam deveriam ter uma ambulância para socorrer os pacientes à beira da morte ou precisariam disponibilizar uma Unidade de Terapia Intensiva em suas instalações, concorda comigo?

— Sim.

— Existe oxigênio suficiente na sala para você respirar. De outro modo teríamos de fazer o exame com máscaras de oxigênio no rosto, não é verdade?

— É verdade.

Beatriz pensou no que conversamos, marcou o exame e conseguiu fazê-lo sem grandes problemas. Depois que tudo passou, ela me disse que, na hora da tomografia, só pensava no que tínhamos conversado.

Sei bem o que Beatriz enfrentou. Eu descobri que tenho um pouco de claustrofobia quando estava no Museu de Ciência e Indústria de Chicago (EUA) com toda a minha família. Pela primeira vez, entraria em um submarino, o U-505, da marinha de guerra alemã, conhecido por ter sido capturado intacto pelos Estados Unidos, em 1944, durante a Segunda Guerra Mundial. Seria uma aventura histórica entrar naquela embarcação. Era necessário encarar uma fila para visitar o submarino, que tinha teto muito baixo e pouco espaço para se movimentar. De repente, comecei a pensar que ficaria com falta de ar naquele ambiente apertado. Eu queria fugir, mas havia uma fila enorme na minha frente e outra atrás de mim! Não havia para onde ir. Senti que desmaiaria. Comecei a suar frio e respirar fundo. Foi uma experiência horrível.

Concluí que tenho medo de lugares fechados. No entanto, sempre que preciso passar por um local apertado, não evito completamente. Em vez disso, faço-me várias perguntas que me remetem à razão, assim como fiz com Beatriz. Esse método tem me proporcionado vencer essas situações. Aprendi com isso que fazer a pergunta certa e obter a resposta correspondente é muito importante nessas horas.

> O medo pode ser definido, da mesma forma que a ansiedade, como uma emoção caracterizada por sentimentos de antecipação de perigo, tensão e sofrimento e por tendências de esquiva ou de fuga. Mas o medo é mais fácil de ser identificado. E a intensidade do medo é proporcional ao tamanho do perigo.[1]

O medo nos paralisa, nos impede de pensar racionalmente, bloqueia os avanços. O primeiro lugar em que o medo se instala é na mente, por isso precisamos sempre repetir para nós mesmas as palavras do profeta Jeremias:

> Lembro-me da minha aflição e do meu delírio, da minha amargura e do meu pesar. Lembro-me bem disso tudo, e a minha alma desfalece dentro de mim. Todavia, lembro-me também do que pode me dar esperança: Graças ao grande amor do SENHOR é que não somos consumidos, pois as suas misericórdias são inesgotáveis. Renovam-se cada manhã; grande é a sua fidelidade! Digo a mim mesmo: A minha porção é o SENHOR; portanto, nele porei a minha esperança. O SENHOR é bom para com aqueles cuja esperança está nele, para com aqueles que o buscam.
>
> Lamentações 3.19-25

De tanto sofrer, Jeremias chorava e se derramava na presença do Pai, com coração aberto e sem dissimulações. Ele entregava ao povo palavras duras, que chamavam ao arrependimento, e por isso colhia muita rejeição. Para combatê-la, o profeta conversava consigo e trazia à memória aquilo que lhe dava esperança. Da mesma forma, precisamos ter sempre em mente o amor, a fidelidade e o cuidado constantes do Senhor em nossa vida. O amor do Senhor por nós é realmente a causa de não sermos consumidas e justificativa suficiente para aplacar os medos, todos eles: "Busquei o SENHOR, e ele me respondeu; livrou-me de todos os meus temores" (Sl 34.4); "Mas eu, quando estiver com medo, confiarei em ti" (Sl 56.3). Quando não vencemos o medo, doenças de cunho emocional podem se apoderar da mente, como a ansiedade e a depressão.

Ansiedade

Assim como o medo, a ansiedade é um sinal de alerta sobre a existência de um perigo iminente. Entretanto, se no medo a ameaça é algo conhecido e externo (como baratas e assaltos), na ansiedade o perigo é desconhecido ou difuso. Sua origem é muito mais interna do que externa e pode ser psicológica, como uma resposta condicionada a estímulos específicos, ou biológica, quando a noradrenalina, um hormônio neurotransmissor, não está em equilíbrio.[2] A nossa vida está cheia de ansiedades de variados tipos: perigos, problemas crônicos, mudanças de vida e transtornos.

A ansiedade também pode ser entendida como uma angústia pelo que não temos agora. Isso é bem presente em nossos dias, quando as pessoas querem ter o que desejam ao clique do *mouse* ou ao *touch* do *smartphone*. Os consultórios psicológicos estão cheios de pacientes que procuram ajuda profissional para tratar a ansiedade. Esse mal chega a ponto de elevar os batimentos cardíacos e fazer a pessoa ter um choque emocional. Nos casos mais graves, gera sensação de morte e mina as forças do indivíduo, num quadro conhecido como síndrome do pânico.

A Palavra de Deus nos diz que não devemos andar ansiosos por coisa alguma:

> Alegrem-se sempre no Senhor. Novamente direi: Alegrem-se! Seja a amabilidade de vocês conhecida por todos. Perto está o Senhor. Não andem ansiosos por coisa alguma, mas em tudo, pela oração e súplicas, e com ação de graças, apresentem seus pedidos a Deus. E a paz de Deus, que excede todo o entendimento, guardará o coração e a mente de vocês em Cristo Jesus.
>
> Filipenses 4.4-7

Alegrar-nos no Senhor tem a ver com ser plenas e completas nele, não resmungonas, mas gratas, com o coração e a mente separados em Cristo. Muitas mulheres têm se esvaziado da Palavra de Deus e, com isso, enchem-se de cobranças e vontades.

Trocam os valores da Bíblia pelos impostos pela sociedade de consumo, em geral muito difíceis de atingir, relacionados a áreas como beleza, *status*, relações sociais, carreira e viagens.

A ansiedade pode caminhar de mãos dadas com a ingratidão. Você deve receber a cada dia somente a porção que o Senhor lhe destinou, e não aquilo que a sociedade lhe impõe. Contente-se com ela e seja grata pelo que tem. A ansiedade joga o olhar para o futuro incerto, o inalcançável, impossibilitando-nos de ser gratas hoje.

A ansiedade pode caminhar de mãos dadas com a ingratidão. Você deve receber a cada dia somente a porção que o Senhor lhe destinou, e não aquilo que a sociedade lhe impõe. Contente-se com ela e seja grata pelo que tem.

Conheço mulheres que têm tudo para agradecer diariamente a Deus, mas escolheram olhar apenas para o que não têm. Com isso, tornam-se extremamente ansiosas. Mas o Senhor sempre nos dá uma chance de retomada. Que tal abraçar essa oportunidade e descansar na provisão do Pai? Faça exercícios diários de gratidão a Deus, orando e agradecendo por tudo o que você tem. Agradeça pelos cuidados do Senhor em sua vida diária:

> Portanto eu digo: *Não se preocupem com sua própria vida, quanto ao que comer ou beber; nem com seu próprio corpo, quanto ao que vestir.* Não é a vida mais

> importante que a comida, e o corpo mais importante que a roupa? Observem as aves do céu: não semeiam nem colhem nem armazenam em celeiros; contudo, o Pai celestial as alimenta. Não têm vocês muito mais valor do que elas? Quem de vocês, por mais que se preocupe, pode acrescentar uma hora que seja à sua vida? [...] Busquem, pois, em primeiro lugar o Reino de Deus e a sua justiça, e todas essas coisas serão acrescentadas a vocês. Portanto, *não se preocupem com o amanhã,* pois o amanhã trará as suas próprias preocupações. Basta a cada dia o seu próprio mal.
>
> Mateus 6.25-27,33-34

Durante muitos anos, andei ansiosa por questões como o futuro dos meus filhos e a provisão deles, o que me levava a me privar de coisas para mim a fim de reservar dinheiro para eles. Até que precisei gastar todo o dinheiro que tinha guardado para eles e entender que o Senhor é o nosso verdadeiro provedor diário. O Senhor é Jeová-Jiré, o Deus da nossa provisão, como bem falou o apóstolo Paulo: "O meu Deus suprirá todas as necessidades de vocês, de acordo com as suas gloriosas riquezas em Cristo Jesus" (Fp 4.19).

Há várias formas de tratamento da ansiedade. Entre elas está o uso de medicamentos específicos, indicados por médico psiquiatra, a busca de apoio de amigos e psicólogos, enfrentamento dos problemas racionalmente, ingestão de alimentos saudáveis e exercícios físicos.

O inimigo de nossa alma milita a todo momento para nos derrubar. Precisamos estar atentas e vigilantes, pois, assim como ele tentou Jesus no deserto, fica à espera de nossos momentos de fragilidade, quando sabe que estamos vacilantes, cabisbaixas e tristes. Lembremo-nos de que as tentações de Satanás são como laços na mente, que tentam nos derrubar nos desertos pessoais. Lembremo-nos de que Jesus foi tentado, mas não pecou. Ele enfrentou Satanás com a Palavra de Deus. Devemos estar preparadas para fazer o mesmo.

Depressão

Um dos ardis de Satanás é tentar suprimir nossa alegria. Seus ataques nos levam a perdê-la pouco a pouco, em meio às lutas diárias. A esperança enfraquece e, quando nos damos conta, entramos em depressão.

A maioria das pessoas que desenvolve depressão pode ter uma vulnerabilidade biológica ao transtorno, aparentemente herdada da genética. As pessoas ficam deprimidas porque tendem a interpretar os fatos da vida de maneira pessimista e desesperançada. Parte do comportamento da pessoa deprimida, portanto, representa uma súplica por amor, uma manifestação de desamparo e um apelo por afeto e segurança, como representado esquematicamente na ilustração a seguir:[3]

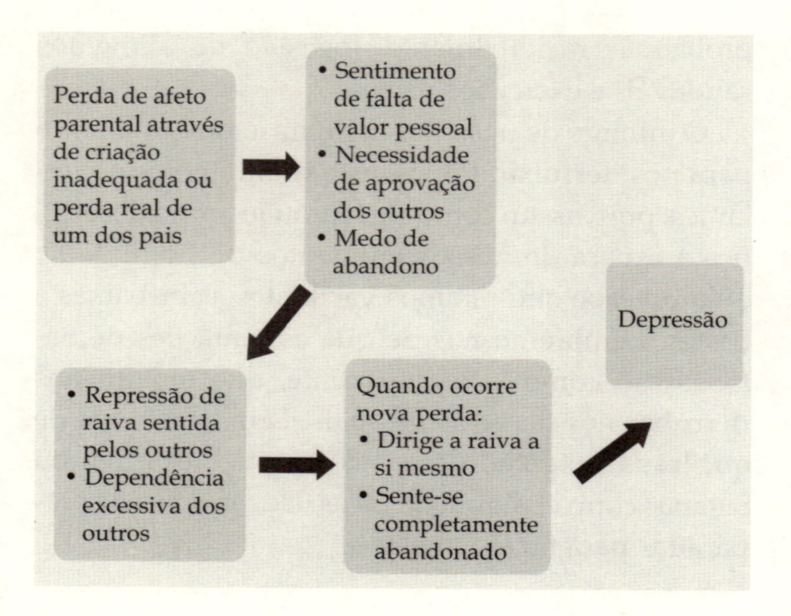

É importante ressaltar que quase todas as pessoas têm períodos de tristeza, letargia e desinteresse por atividades que normalmente lhes daria prazer. Sintomas depressivos leves são uma resposta normal a muitos estresses da vida, como a perda de um parente ou um fracasso profissional. A depressão só é considerada transtorno quando os sintomas se tornam tão severos que prejudicam o funcionamento normal da pessoa e quando eles se estendem por semanas seguidas. Nesse caso, a depressão inclui diferentes sintomas, que podem ser emocionais, físicos, motivacionais ou cognitivos. Entre os emocionais estão a tristeza e a perda de prazer. Os físicos incluem alterações de apetite e sono, fadiga, aumento de dores e mal-estar nas atividades. Já os motivacionais se mostram como passividade e falta de iniciativa e persistência. Por fim, os cognitivos se apresentam como desesperança, visão negativa de si mesmo e enfraquecimento da concentração e da memória.

Na época em que fiz terapia, entendi da minha psicóloga que eu não estava em depressão, mas passando por um momento de tristeza profunda. Isso era totalmente justificável, à luz de problemas que eu havia enfrentado. Depressão seria se a causa da tristeza tivesse passado e eu não conseguisse sair do estado de letargia. À medida que o tratamento avançava, comecei a gerenciar melhor meus pensamentos e, uma vez que me sentia mais fortalecida, fui diminuindo a medicação, até suspendê-la completamente. Entendo que o Senhor é o Médico dos médicos, e ele nos deu capacidade para produzir remédios que nos abençoem e ajudem a enfrentar grandes crises na vida.

Muitas pessoas começam a perder o ânimo para trabalhar, fazer feira e realizar outras atividades rotineiras. Sem perceber, perdem o vigor e a vontade de viver. Eis a depressão.

Esse estado de abatimento de alma tira a satisfação do brilho do sol na face, mina o prazer de estar com a família e com os amigos e desbota a motivação para trabalhar e produzir. A depressão nos deixa como zumbis. Com certeza, precisamos dar a volta por cima contra esse ataque do inimigo, que se inicia na mente e nos suga as energias vitais.

Assim como a ansiedade, a depressão precisa ser vista com cautela e tratada por diversas vias: medicamentos, terapias psicológicas, atividades físicas, alimentação saudável, envolvimento com outras pessoas, exercício de gratidão, louvor e leitura da Palavra de Deus.

O primeiro passo pode ser dado ao fazer as pazes com a própria história, perdoando quem quer que a tenha ferido no passado, independentemente dos motivos. Entender que você mesma é limitada a fará perceber que os outros também o são e que eles, do mesmo modo, têm histórias de dores e de superação a vencer. Libere os outros e comece a libertar-se e a ser curada hoje mesmo.

Costumamos lançar a ansiedade sobre as pessoas porque precisamos ser aceitas e amadas. Mas deveríamos lançá-la sobre aquele que nos amou primeiro e enviou seu Filho, Jesus, fazendo de nós novas criaturas. Deixemos a justiça de nossa história nas mãos do Senhor. Ele é fiel e justo. Isso significa que não faremos justiça com as próprias mãos e que a vingança pertence a Deus. Ele nos conhece, nos ama e deseja que tenhamos vida plena. Encha-se da Palavra de Deus e de suas promessas, que devem estar sempre presentes em seu pensamento. Com isso, o Senhor dissipará o medo, o estresse, a ansiedade e a temível depressão.

Um chamado à resiliência e à razão

Resiliência significa a capacidade de um objeto retornar ao estado original após ter sofrido uma alteração significativa ou, em situações da vida, a capacidade de se recobrar facilmente de algum trauma ou problema ou se adaptar às mudanças. Uma mulher resiliente é aquela que, mesmo passando por tribulações diversas, consegue voltar ao equilíbrio e manter a fé operante e forte.

A fim de trabalhar a resiliência, precisamos focar outro conceito: a racionalidade. O senso comum diz que o homem é majoritariamente razão e a mulher, emoção. O fato é que ninguém vive apenas de emoção ou de razão o tempo todo. O equilíbrio é o melhor cenário possível. O filósofo e teólogo francês Blaise Pascal cunhou a conhecida frase: "O coração tem razões que a própria razão desconhece" e, com isso, conseguiu expressar bem a relação entre razão e emoção, que tendem a ser não convergentes.

O senso comum diz que o homem é majoritariamente razão e a mulher, emoção. O fato é que ninguém vive apenas de emoção ou de razão o tempo todo. O equilíbrio é o melhor cenário possível.

Se por um lado nem tudo é uma conta matemática, por outro não podemos caminhar nas nuvens. Não devemos nos sujeitar totalmente aos pensamentos frios e calculistas nem às emoções impulsivas. Ambos são enganosos, e o Senhor nos chama para ponderar e pôr todo o nosso ser à prova em sua Palavra.

Mulheres que se colocam frente a frente com as verdades bíblicas têm os pés no chão e não vivem dominadas pelos impulsos emotivos. Elas planejam, trabalham duramente e sabem onde querem chegar. Tais mulheres subjugam as emoções ao senhorio de Cristo e de sua Palavra. Precisamos aprender a enxergar os fatos claramente, expor os sentimentos sem ferir o outro e apresentar possibilidades de solução.

O apóstolo Paulo escreveu a Timóteo:

> Quanto a você, porém, permaneça nas coisas que aprendeu e das quais tem convicção, pois você sabe de quem o aprendeu. Porque desde criança você conhece as Sagradas Letras, que são capazes de torná-lo sábio para a salvação mediante a fé em Cristo Jesus. Toda a Escritura é inspirada por Deus e útil para o ensino, para a repreensão, para a correção e para a instrução na justiça, para que o homem de Deus seja apto e plenamente preparado para toda boa obra.
>
> 2Timóteo 3.14-17

Essas palavras transparecem que o Senhor deseja que seus filhos e suas filhas permaneçam firmes no que têm aprendido e estejam preparados para toda boa obra que ele mesmo separou para praticarmos, utilizando toda a racionalidade. "Procure apresentar-se a Deus aprovado, como obreiro que não tem do que se envergonhar e que maneja corretamente a palavra da verdade" (2Tm 2.15). Isso fala de racionalidade.

Mulheres resilientes e mais racionais são aquelas que têm uma autoimagem real, conseguem ver seus pontos fortes e fracos, e pensam antes de agir e reagir. Elas planejam a vida pessoal, têm sob controle as finanças e a saúde, e cuidam com muito zelo e inteligência do que o Senhor pôs em suas mãos.

Houve uma época em que comecei a ficar inquieta com as finanças. Eu não ganhava mal, mas estava sempre utilizando parte do meu limite do cheque especial e pagando juros ao banco, mensalmente. Precisei parar e usar a razão a fim de entender o que gerava esse problema. Comecei a estudar sobre educação financeira e a fazer planilhas de gastos mensais. Foi quando comecei a entender para onde de fato o meu dinheiro ia e consegui fechar a maioria das torneiras abertas indevidamente em meu orçamento. Hoje tenho as finanças sob controle e sinto que venho cuidando bem do que o Senhor me dá.

O mesmo ocorre em outras áreas da vida, como saúde, relacionamentos e educação. O Senhor deseja que sejamos inteligentes, tenhamos capacidade cognitiva e sabedoria do alto para combater o bom combate com resiliência e racionalidade. Lembre-se sempre: razão e emoção juntas são bem melhores que separadas!

Para reflexão

1. Como você pode vencer o medo, a ansiedade e a depressão?

____

____

____

____

____

2. Em que áreas você precisa ser mais racional? Como promover as mudanças necessárias para alcançar esse objetivo?

____

____

____

____

____

3. Se você percebe que precisa ser aperfeiçoada em alguma área, estabeleça um plano de mudança.

____

____

____

____

____

Vamos orar

Pai de amor e de misericórdia, hoje deposito em teu altar as mulheres que sofrem de angústia, tristeza, medo, ansiedade, depressão, síndrome do pânico, fibromialgia e dores da alma. Sara o teu povo, Senhor. Que elas tenham força e coragem para encontrar liberdade na tua Palavra e para colocá-la em prática, transformando-se em mulheres resilientes e mais racionais, para a glória do teu nome e para a nossa alegria. Em nome de Jesus. Amém.

6

Feminismo ou feminilidade?

Feminismo é um conceito que tem entendimentos diferentes. Para uns, seria a voz das mulheres que vivem à margem da sociedade, sem representatividade. Para outros, nada mais seria do que uma camuflagem utilizada contra os homens por mulheres liberais. E podemos considerar ainda que o feminismo engloba aqueles que acreditam na total igualdade entre homens e mulheres. Como se pode ver, *feminismo* é uma palavra cheia de significados.

Cristina de Pisano foi um símbolo na história do feminismo pré-moderno. Essa poetisa e filósofa italiana escreveu o livro *A cidade das mulheres*, em 1405, falando sobre o mito das amazonas. Na obra, Cristina ataca o discurso da inferioridade das mulheres e resgata a memória feminina, esquecida pela história oficial, assim como a reivindicação do justo lugar da mulher na sociedade e na literatura. Ela imagina em seu livro uma cidade utópica, uma fortaleza, na qual, com a ajuda de três damas alegóricas — Dama

Razão, Dama Retidão e Dama Justiça —, as mulheres seriam protegidas das injustiças e das hostilidades masculinas. Cristina de Pisano não iniciou o feminismo, mas participou dele ativamente.

Na mitologia grega, as amazonas inspiradoras de Cristina formavam uma tribo composta por ferozes guerreiras que viviam na Ásia Menor. Acreditava-se que elas fossem descendentes do deus da guerra, Ares. Em seu reino, a entrada dos homens era completamente proibida. Aquelas mulheres participavam frequentemente de guerras e sobreviveram durante muitas gerações. A partir do período moderno, o nome *amazonas* passou a ser associado com as mulheres guerreiras em geral e, hoje, refere-se apenas às que montam cavalo.

Podemos considerar Cristina de Pisano uma amazona de sua época, na Europa, por estar presente em uma guerra travada não com espadas, mas com ideias e palavras. Também encontramos relatos dessas guerreiras no Brasil, como Aqualtune, que liderou uma força de dez mil homens na Batalha de Mbwila, entre o reino do Congo e Portugal. Com a derrota congolesa, ela foi capturada e trazida para Recife, no Brasil. Ao conhecer a história de Palmares, Aqualtune organizou junto com outros escravos uma fuga para o quilombo, onde teve sua ascendência reconhecida, recebendo, então, o governo de um dos territórios quilombolas. Aqualtune era da família de Ganga Zumba, e uma de suas filhas teria gerado Zumbi. Em uma das guerras comandadas pelos paulistas para a destruição de Palmares, sua aldeia foi queimada. Aqualtune tornou-se, então, símbolo de luta e resistência.

As lutas por direitos igualitários para mulheres e homens têm sido uma constante do movimento. A primeira onda do movimento feminista debruçou-se sobre questões políticas, principalmente na do direito ao voto feminino. Votar, ter direito a propriedade e evitar que seus filhos pequenos trabalhem em fábricas foram os primeiros desejos do feminismo. O direito ao voto realmente mudaria essa situação de uma vez por todas, pois as mulheres poderiam expressar as suas necessidades nas urnas. Mas não foi suficiente. Surgiu a segunda onda do movimento, que ampliou o debate para questões de sexualidade, família, trabalho, direitos reprodutivos e desigualdade de fato e de direito.

Atualmente, vivemos a terceira onda, quando se entra no detalhamento do que deve ser bom individualmente para cada mulher, considerando sua subjetividade. Essa terceira onda vem de 1990 até os nossos dias, cheia de divisões e pensamentos diferentes. Cada grupo de mulheres se levanta em defesa do próprio interesse, muitas vezes bem divergentes. Entre as questões polêmicas em pauta está o que se entende por pornografia e prostituição, por exemplo.

As feministas não lutam mais por direitos igualitários, uma vez que já os conseguiram. Agora, elas querem provar que as mulheres são independentes em casa, no trabalho e em qualquer ambiente em que estiverem. À medida que as mulheres eram "libertas da opressão" do sexo oposto, os homens tornavam-se, por essa perspectiva, desnecessários e incompetentes. É comum ouvir de mulheres, em tom jocoso, como os homens são desajeitados em determinadas atividades — arrumar a casa, ensinar tarefas aos filhos, cozinhar ou fazer várias coisas simultaneamente.

O feminismo, sob a máscara de igualitarismo, acaba unindo-se a outro movimento que chamamos de liberalismo, uma visão de mundo fundada sobre os ideais que pretendem ser os da liberdade individual e da igualdade. Um exemplo clássico de movimento liberalista abraçado pelo feminismo atual é o direito à realização do aborto, uma vez que defende que a mulher pode fazer com o seu corpo o que bem entender. Surge, adicionalmente, a teoria da identidade de gênero, segundo a qual você pode escolher se quer ser homem ou mulher, independentemente do sexo com o qual nasceu.

Em busca de uma condição de "igualdade" ou "superioridade", acabamos por alterar a nossa essência e trazemos à tona o que há de pior em nós. Aquilo contra o que lutamos — injustiça, opressão, intolerância e exploração — é exatamente o que temos implantado com todo o avanço desse movimento. O radicalismo feminista tornou as mulheres briguentas, reclamadoras, inflexíveis, tiranas e, consequentemente, doentes, infelizes e frustradas. Encontro mulheres assim todos os dias.

Esse feminismo nocivo e radicalista teve seu início bem antes da escrita de *A cidade das mulheres*, de Cristina de Pisano: começou no jardim do Éden, no momento em que Eva decidiu tomar a iniciativa e comer do fruto proibido sem compartilhar com o marido suas intenções e se considerou independente para fazer o que quisesse, a despeito da opinião dos demais. O resultado da sua desobediência trouxe-nos, como sua descendência, amargas consequências: não apenas as dores do parto e o decreto divino de nosso desejo ser para o marido e ele nos dominar, mas as dores da exclusão social e da desvalorização. O homem e a mulher foram separados de Deus. Nasceu o machismo, que é o comportamento que tende a negar à mulher a extensão de prerrogativas ou direitos do homem. O feminismo de Eva passou a brigar com o machismo de Adão. No princípio, em menor proporção e de forma velada, mas, hoje, em enorme escala, o que deu início a uma tremenda guerra dos sexos.

O radicalismo feminista tornou as mulheres briguentas, reclamadoras, inflexíveis, tiranas e, consequentemente, doentes, infelizes e frustradas.

Não era para ser assim

O Criador formou o homem e, em seguida, disse: "Não é bom que o homem esteja só; farei para ele alguém que o auxilie e lhe corresponda" (Gn 2.18). Podemos concluir que o homem, sozinho, não estava totalmente feliz, embora vivesse no jardim onde tudo era abundante. O Senhor também observou que Adão precisava de ajuda em algumas áreas e deixou claro quando atribuiu essa função específica à mulher. Quando Deus criou Eva, o homem viu-se completo. A alegria de Adão encheu o coração do Senhor de regozijo: "E Deus viu tudo o que havia feito, e tudo havia ficado muito bom" (Gn 1.31).

O Senhor fez homem e mulher à sua imagem e semelhança, ambos iguais em dignidade e beleza, ambos sob o comando do Senhor para serem férteis e multiplicadores de sua espécie. Homem e mulher foram idealizados para encher e subjugar a terra, dominando sobre todos os seres viventes, em uma vida abundante de harmonia e cumplicidade. Sua vida deveria ser plena, cheia de amor e de cuidados mútuos. Esse era o plano original do Senhor.

Compreender isso me faz considerar seriamente que devo estar ciente de tudo o que ocorre em nosso planeta. Todos os animais deveriam estar sob o controle do homem e da mulher. Mas o pecado corrompeu o ideal do Senhor e, em vez de dominar sobre todas as coisas, escolhemos ser escravizados por elas. Conheço muitas pessoas que vivem para trabalhar, ganhar dinheiro e acumular bens. Passamos a ter uma vida sem plenitude, em busca de coisas efêmeras e escravizadoras, quando elas deveriam nos servir. Já parou para pensar sobre isso? Será que você existe para ter coisas, ou as coisas existem para suprir as suas necessidades?

Também não devemos ser pessoas totalmente alienadas, afastadas do meio ambiente e do cuidado dos animais; devemos estar envolvidas em causas sociais e ambientais, pois foi propósito do Senhor que tomássemos conta de todo ser que tem vida. Gênesis 1.28, particularmente, impulsiona-me a estudar e a conhecer cada vez mais sobre a criação que o Senhor deixou a nossos cuidados: "Deus os abençoou, e lhes disse: 'Sejam férteis e multipliquem-se! Encham e subjuguem a terra! Dominem sobre os peixes do mar, sobre as aves do céu e sobre todos os animais que se movem pela terra".

[...] o meio ambiente sofre as consequências do pecado, ao ser alvo do descuido e da decadência, frutos do desprezo e da falta de zelo de homens e mulheres.

O contraponto se encontra nas palavras do apóstolo Paulo: "A natureza criada aguarda, com grande expectativa, que os filhos de Deus sejam revelados" (Rm 8.19). Isso ocorre porque o meio ambiente sofre as consequências do pecado, ao ser alvo do descuido e da decadência, frutos do desprezo e da falta de zelo de homens e mulheres.

Essa situação é revertida quando o Espírito Santo passa a habitar em nosso coração, reconciliando-nos com o Senhor, com nós mesmas e com o meio ambiente. Todas as coisas interessam a Deus, pois, como disse o teólogo holandês Abraham Kuyper, não há um centímetro quadrado sequer em todos os domínios da existência humana sobre o qual o soberano Cristo não clame: "É meu!".

Jesus foi a solução para ajustarmos novamente o viver aos propósitos do Pai. Em Cristo somos reconciliados com Deus, e isso envolve a feminilidade, os valores e os papéis. Precisamos estar cientes de que "Não há judeu nem grego, escravo nem livre, homem nem mulher; pois todos são um em Cristo Jesus" (Gl 3.28). E Cristo espera de nós um comportamento digno do povo eleito. Da mesma forma que Jesus é o cabeça da Igreja e se sujeitou ao Pai, o homem é o cabeça da mulher e se sujeita a Cristo.

O desejo do Senhor para o homem é que ele se sujeite às autoridades (1Pe 2.11-25) e viva de maneira honrosa e respeitosa, dando bom testemunho como filho de Deus, seguindo o exemplo de humildade, obediência e serviço de Jesus. Do mesmo modo que os homens devem se sujeitar às autoridades, a mulher deve sujeitar-se ao seu marido (1Pe 3.1-7). O machismo em que vivemos vai além dessa orientação de sujeição da esposa ao marido, e a leva ao ambiente de trabalho e às relações sociais diversas, onde a mulher é levada a sujeitar-se ao homem apenas por ser mulher.

Passei por uma situação bem interessante em meu ambiente de trabalho. Como lido com informática e sistemas judiciais, tenho contato com muitos homens, em uma equipe sinérgica e amigável, onde há bom fluxo de estagiários. Um desses estagiários tinha muita dificuldade em fazer o que eu lhe solicitava. Ao questionar meu chefe sobre o comportamento dele e por não atender a meus pedidos, quando atendia aos de todos, meu chefe respondeu que acreditava ser uma questão de machismo. Fiquei indignada e pedi ao próprio chefe que resolvesse a questão, para que eu não tivesse um acesso de "feminismo" na frente de todos. Esse episódio revela que o problema é cotidiano e vivo.

O marido que ama não coloca a esposa em situação de desvalorização; pelo contrário, a trata com honra, como parte mais frágil, uma vez que o homem também é frágil. Como poderemos nos considerar fortes se não podemos aumentar um segundo sequer de nossa vida (Lc 12.25)? Somos todos frágeis, dependentes e carentes do perdão, do cuidado e do amor divinos.

Homens e mulheres em recuperação

Durante toda a minha juventude, eu acreditava que não me casaria antes de concluir a formação profissional e ter meu próprio sustento, pois não queria depender de ninguém. Hoje, luto bastante para não incutir tais pensamentos em minhas filhas, embora, de vez em quando, me pegue passando esses valores a elas. Sou uma feminista em recuperação. "Não me casarei até que consiga o emprego dos sonhos e ganhe mais do que a minha futura esposa", afirmava sempre meu então namorado, hoje esposo. Meu esposo é um machista em recuperação.

Meu marido e eu namoramos seis anos. Durante esse período, fizemos o curso universitário — eu, computação, e ele, engenharia civil. Conseguimos passar em concursos públicos federais e assumimos nosso emprego antes de nos casarmos. Seis meses antes do nosso casamento, tivemos um encontro com o nosso Salvador, Jesus Cristo, e isso mudou tudo.

Todos os dias ajustamos nossos valores e papéis deturpados pelo pecado, a fim de cumprir a vontade boa, perfeita e agradável do Senhor. Quando Deus fez a mulher, havia uma necessidade específica: criar alguém que fizesse companhia para o homem, o auxiliasse e lhe correspondesse. Temos uma função singular de auxílio e de complementaridade. "Ajudadora" ou "auxiliadora" no original hebraico significa aquela que é fonte de força na área em que há fraqueza. Somos o complemento que faltava ao homem na criação, por isso glorificamos o Senhor quando abraçamos o chamado junto com o marido e, com gratidão, somos poço de fortalecimento nas áreas em que ele precisa.

Quando Deus fez a mulher, havia uma necessidade específica: criar alguém que fizesse companhia para o homem, o auxiliasse e lhe correspondesse. Temos uma função singular de auxílio e de complementaridade.

Essa função de complemento e de fortalecimento não está somente relacionada às mulheres casadas, embora seja mais visível na esfera do casamento. Mulheres em diferentes ambientes podem ativamente exercer seu papel de complementaridade e fonte de forças, ajudando e encorajando os homens — inclusive na igreja, no trabalho e na academia. Seja completamente cheia de alegria e de gratidão ao Senhor pelo seu papel!

Eu e meu esposo somos bastante diferentes. Eu sou mais introspectiva, e ele é mais comunicativo; eu sou mais estruturada, e ele é mais visionário. Ele fala mais de quinze mil palavras por dia, com certeza, e eu acho que falo apenas umas cinco mil. Lideramos uma comunidade cristã fervorosa que ama servir ao próximo. Não posso precisar a quantidade de vezes em que ele lançou desafios para nossa comunidade que temi não conseguir cumprir. Mas alcançamos quase todos e estamos a caminho de conseguir os restantes.

Nos doze anos de ministério como líderes dessa comunidade, temos exercido nossos papéis e dons de forma harmônica e complementar. Ele, como provedor, líder e protetor da família, tem uma visão de como devemos gerenciar nossa casa e para onde devemos ir como comunidade. Posso dizer que ele estabelece para onde vamos, e eu o ajudo no planejamento de como chegaremos lá. Faço as planilhas de orçamento, preparo a documentação e sigo suas diretrizes na educação de nossos filhos e demais áreas do lar. A mesma coisa fazemos com a nossa comunidade cristã: o Senhor fala ao coração do meu esposo sobre um chamado específico, e eu o abraço com todas as minhas forças e potencialidades, para que possamos alcançá-lo juntos.

Sei que posso contar com um marido que cuida e zela por mim e por nossos três filhos, e ele pode contar com a ajuda de uma esposa que está pronta a encorajá-lo a fim de alcançar tudo o que o Senhor tem reservado para conquistarmos. Eu encontrei verdadeiramente a minha função de mulher na vontade do nosso Pai. Sou mulher feminina, como o Senhor me fez, e encontro-me feliz em seguir ajudando o meu esposo em tudo e em estar ao seu lado para o que der e vier.

Eu encontrei verdadeiramente a minha função de mulher na vontade do nosso Pai. Sou mulher feminina, como o Senhor me fez, e encontro-me feliz em seguir ajudando o meu esposo em tudo e em estar ao seu lado para o que der e vier.

Certo dia, em um encontro de família, estávamos todos sentados em cadeiras de balanço, na calçada da casa da minha avó, no fim de tarde, conversando e sentindo uma boa brisa. Pensei que tomar um bom café seria delicioso e perguntei se o meu esposo gostaria de um cafezinho. Todos os maridos presentes proferiram que também queriam um. As mulheres foram para a cozinha pegar os respectivos cafés, mas algumas delas não gostaram e reclamaram comigo: "Samara! Que invenção foi essa de oferecer café para o seu marido? Você fica dando mau exemplo para nós e acostumando o seu marido de forma errada". Eu apenas sorri, e respondi: "Só fiz com ele o que eu gostaria que ele tivesse feito comigo naquela hora".

A sociedade em geral, inclusive a família, cobra das mulheres posturas antibíblicas de forma implacável. O mundo proclama uma mulher forte, linda, feliz, independente do homem, sem compromisso em cuidar dos filhos e educá-los. Um verdadeiro paradoxo aparece em nossa frente, e os conflitos são reais e muito grandes. Escuto muitas mulheres que se queixam de não ter tempo para passear, sair ou estar em uma comunidade servindo com o marido porque têm filhos pequenos, e sentem-se prejudicadas por causa disso. Outras reclamam que o marido é líder na igreja e elas não. Mas convido-as a pensar que onde o seu marido está, elas também estão, visto que são um: "Por essa razão, o homem deixará pai e mãe e se unirá à sua mulher, e eles se tornarão uma só carne" (Gn 2.24).

O fato de muitas vezes meu esposo estar servindo na igreja e eu estar com os filhos em casa nunca foi tristeza para mim. Sempre encarei que eu estava ali com ele. Ficar em casa com os filhos sempre foi um privilégio. Cuidar de cada um deles com amor e carinho manteve nosso relacionamento familiar sempre muito estreito e cheio de reciprocidade. Amo estar com meu marido, servindo, junto com nossos filhos. Estamos começando a colher os frutos agora que eles estão na adolescência e amam estar em comunidade conosco e servindo com seus dons e talentos. Há realmente um tempo certo para tudo: "Para tudo há uma ocasião certa; há um tempo certo para cada propósito debaixo do céu" (Ec 3.1).

A mulher feminina resgata em Cristo a identidade perdida no Éden. Nele a mulher é perdoada, amada, redimida, valorizada. É quando ela tem um encontro consigo mesma e com os corretos propósitos para sua vida. Esse encontro enche seu coração de um fervor jamais sentido, dando-lhe energia e convicção para os próximos passos.

É tempo de nos arrependermos do feminismo radical, bobo, cheio de mentiras, lutas e dores. Não precisamos provar nada para ninguém, porque Jesus já provou o seu amor por nós na pesada e dolorosa cruz do Calvário. Homens e mulheres são muito especiais para Cristo, cada um com suas funções específicas e maravilhosas, em complementaridade e glorificando o nome do Senhor. Aqui temos um bom começo! Seja mulher. Seja feminina.

Para reflexão

1. Que valores equivocados do feminismo você encontra em si mesma? O que pode fazer a respeito?

____

____

____

2. Que valores equivocados do machismo você encontra em si mesma? O que pode fazer a respeito?

____

____

____

____

3. O que você precisa fazer para, com sabedoria e discernimento, renovar a mente e transformar-se em uma mulher plenamente agradável a Deus?

____

____

____

____

Vamos orar

Pai, sei que o machismo e o feminismo são distorções de concepções, surgidas no Éden, sobre nossa identidade e nossos papéis. Perdoa-me por até hoje, já tendo te conhecido, insistir em comportamentos e atitudes que valorizam um sexo em detrimento do outro. Tua criação foi perfeita e maravilhosa! Somos todos, homens e mulheres, especiais para ti, em dignidade e com funções específicas. Obrigada, porque sei que, quando assumo o meu papel, encontro propósito e plenitude em minha vida. Amém.

7

Um vazio do tamanho de Deus

Coralina era uma menina do interior que ia semanalmente à missa, participava de novenas e procissões, e sabia todas as canções da igreja de cor. Sempre era convidada para ser madrinha de batismo e crisma dos primos. Acordava cedo e, além de rezar o rosário completo, só dormia quando fazia a seguinte oração: "Santo anjo do Senhor, meu zeloso guardador, se a ti se confiou a piedade divina, sempre me rege, me guarda, me governa e me ilumina. Amém". Coralina foi crescendo e passou também, nas férias, a ajudar a avó e as tias a cuidarem dos primos e irmãos pequenos, dando banho, alimentando-os e levando-os para passear na praça nos fins de tarde.

Tudo parecia estar bem na vida de Coralina, até que ela começou a chorar toda vez que cantava na igreja. Um vazio começou a gritar dentro dela, e Coralina não sabia explicar o que estava acontecendo. O fato de chorar bastante nesses momentos aliviava um pouco sua dor interna, mas, ao mesmo tempo, não encontrava soluções para ela ou preenchimento para esse vazio. O vazio em Coralina era do tamanho de Deus!

Só a partir do dia em que ela entregou sua vida a Jesus como Senhor e Salvador, o vazio foi preenchido, pois o Espírito Santo passou a habitar em seu ser, conforme diz a Bíblia:

> Quando vocês ouviram e creram na palavra da verdade, o evangelho que os salvou, vocês foram selados em Cristo com o Espírito Santo da promessa, que é a garantia da nossa herança até a redenção daqueles que pertencem a Deus, para o louvor da sua glória.
>
> Efésios 1.13-14

Mudanças começaram a acontecer. Coralina passou a ver a vida sob um novo olhar, à medida que mergulhava no aprendizado da Palavra de Deus. Trocou suas rezas repetitivas e ditas, muitas vezes, apenas da boca para fora, por verdadeiras conversas com o Pai, por momentos de oração espontâneos e por cânticos que falavam profundamente ao seu coração e brotavam naturalmente. Ela cantarolava louvores e dançava feliz por ter encontrado a alegria que tanto procurava. Mesmo sendo um pouco desafinada e sem ritmo, ela sabia que o Senhor receberia sua adoração, pois as expressões de gratidão e de honra estavam essencialmente em seu coração.

Coralina passou a ser instruída e direcionada em todas as suas atitudes. A sua vida encheu-se de significado e de esperança em relação ao futuro. Tudo porque o vazio que carregava dentro do peito era do tamanho de Deus e, por isso, só Deus conseguiu preenchê-lo.

O que ocorreu com Coralina é muito frequente. O vazio de Deus esmaga a vida de muitas e muitas pessoas. Algum tempo atrás, eu e meu marido encontramos uma conhecida da época de faculdade. Ela compartilhou conosco os problemas de seu casamento e como se via naquele exato momento:

> Eu já não sei mais quem sou. Não quero mais ficar nesse casamento, não tenho sentimentos por meu marido, nem por mim mesma. Além disso, não quero pensar em começar outro relacionamento, estou assexuada. Todas as minhas amigas, da mesma forma, têm casamento de fachada e, quando converso sobre matrimônio com elas, a resposta é que estão tão envolvidas em um emaranhado de interesses mútuos que não seria viável a esta altura se desfazer do casamento fracassado. Todas preferem empurrar a situação com a barriga. Tornei-me uma mulher nervosa, impaciente, descrente quanto ao futuro e sem perspectivas. Há dias em que abro os olhos pela manhã desejando não ter despertado. Eu queria morrer, ter um ataque súbito do coração, já que não tenho coragem para tirar minha vida. Tenho vontade de abrir a porta, do carro ou da minha casa, e sair

> correndo sem destino nem retorno. Por vezes, meu desejo é gritar bem alto, sem parar. Eu não sei mais o que quero, nem se realmente quero algo. Não tenho mais vaidade, nem sonhos financeiros. Eu não aspiro mais a nada. Não sei de onde vim, nem para onde vou. Estou totalmente perdida!

Suas lágrimas corriam sem parar, o que encheu o nosso coração de compaixão.

O teólogo Agostinho de Hipona dizia que fomos criados para a comunhão espiritual com Deus. Quando isso não acontece, o resultado é um sentimento de insatisfação e inquietude. Portanto, a felicidade humana está diretamente relacionada à dependência do divino e ao relacionamento com ele, o que ocorre por meio do nosso espírito. Aquela minha amiga e suas conhecidas precisam desesperadamente de um encontro com Jesus, pois elas estão mortas em seus delitos e pecados. Só Cristo preenche a nossa vida e nos dá novos propósitos para curti-la apaixonadamente. Como ele mesmo afirmou: "Eu sou a videira; vocês são os ramos. Se alguém permanecer em mim e eu nele, esse dará muito fruto; pois sem mim vocês não podem fazer coisa alguma" (Jo 15.5).

Só Cristo preenche a nossa vida e nos dá novos propósitos para curti-la apaixonadamente.

Quando não estamos enxertados na videira verdadeira, temos uma vida de ruína e de sequidão, que precede a morte. A vida se torna totalmente lastimável e cheia de culpa, vazio e desencontros. Não temos uma identidade real, isto é, encontrada em Cristo, visto que criamos uma imagem fictícia de nós mesmas, com várias prerrogativas sociais, como *status*, aparência física, desenvolvimento emocional e desempenho intelectual. Vivemos todas as consequências de estar separadas de Deus, colhendo o resultado do pecado de Adão e Eva.

Precisamos saber que, apesar do nosso pecado, o Criador amou-nos com amor inigualável. Tanto que enviou o seu único Filho a fim de morrer em meu e em seu lugar e, com isso, nos reconciliou com ele e com o próximo (Jo 3.16-17).

A nova vida em Cristo

Quando paramos de falar e pensar apenas em nós mesmas e nos voltamos para Deus, encontramos finalidade para a vida. Estamos o tempo todo fazendo perguntas egocêntricas, como "O que eu quero ser?", "O que eu deveria fazer com minha vida?" e "Quais são meus objetivos, minhas ambições e meus sonhos para o futuro?". Se focamos em nós mesmas, jamais encontraremos propósito para a vida. O apóstolo Paulo destacou esse fato:

> Vocês estavam mortos em suas transgressões e pecados, nos quais costumavam viver, quando seguiam a presente ordem deste mundo e o príncipe do poder do ar, o espírito que agora está atuando

> nos que vivem na desobediência. Anteriormente, todos nós também vivíamos entre eles, satisfazendo as vontades da nossa carne, seguindo os seus desejos e pensamentos. Como os outros, éramos por natureza merecedores da ira. Todavia, Deus, que é rico em misericórdia, pelo grande amor com que nos amou, deu-nos vida com Cristo quando ainda estávamos mortos em transgressões — pela graça vocês são salvos. Deus nos ressuscitou com Cristo e com ele nos fez assentar nas regiões celestiais em Cristo Jesus, para mostrar, nas eras que hão de vir, a incomparável riqueza de sua graça, demonstrada em sua bondade para conosco em Cristo Jesus. Pois vocês são salvos pela graça, por meio da fé, e isto não vem de vocês, é dom de Deus; não por obras, para que ninguém se glorie. Porque somos criação de Deus realizada em Cristo Jesus para fazermos boas obras, as quais Deus preparou antes para nós as praticarmos.
>
> Efésios 2.1-10

O pastor e escritor Rick Warren conta que, certa vez, se perdeu nas montanhas. Ele encontrou um acampamento e lá perguntou como poderia chegar ao seu destino. A resposta foi que do ponto em que se encontrava não o alcançaria. Ele teria de ir para outro lugar e, aí sim, pegar a estrada que o conduziria a seu destino. O mesmo acontece conosco. Não podemos nos encontrar partindo de nós mesmas. Somente em Deus podemos encontrar propósitos e significados existenciais para a vida. Como escreveu o pastor Rick Warren:

> Você foi feito por Deus e para Deus, e até que entenda isso sua vida nunca terá sentido. É exclusivamente em Deus que descobrimos nossa origem, nossa identidade, nosso significado, nosso propósito, nossa significância e nosso destino. Qualquer outro caminho leva para um final de morte.
>
> Muitas pessoas tentam usar Deus para seu próprio deleite. Elas querem que Deus seja seu "gênio da lâmpada" pessoal, servindo-as conforme seus desejos. Mas isso é uma reversão da natureza e está fadado ao fracasso. Você foi feito por Deus, e não vice-versa. Viver é deixar Deus usá-lo para o propósito dele, não você usá-lo para suas vontades.[1]

Você quer ser perdoada, ter um encontro com Deus e saber quem você é, de onde veio e para onde vai, mas não sabe como, nem por onde começar? Sua dúvida não é incomum. À beira do poço, uma mulher samaritana teve um encontro com Jesus; uma mulher adúltera teve um encontro com Jesus quando ele ensinava no templo; uma mulher com um fluxo de sangue teve um encontro com Jesus no meio de uma rua; uma pecadora teve um encontro com Jesus na casa de um fariseu. Independentemente de onde tenha sido, encontrar Cristo mudou tudo na vida dessas mulheres. Elas foram amadas e compreendidas por ele, mas também tiveram seus pecados confrontados.

Ao ser achadas em Cristo, descobrimos que somos pecadoras e precisamos nos arrepender e mudar de vida. À mulher samaritana, Jesus apontou que o homem com quem ela vivia não era seu marido (Jo 4.16-17). À mulher adúltera, Jesus disse que não pecasse mais (Jo 8.6-11). Ao ser achadas em Cristo, nossa vida passa por uma revolução total. À mulher com o fluxo de sangue, desprezada e considerada impura pela sociedade, Jesus deu voz e vez e a amou sem quaisquer barreiras (Mc 5.32-34). À pecadora que derramou um frasco de alabastro com perfume, molhou seus pés com suas lágrimas e os enxugou com os cabelos, Jesus estendeu o perdão dos pecados (Lc 7.44-50).

Ao ser achadas em Cristo, descobrimos que somos pecadoras e precisamos nos arrepender e mudar de vida. [...] Ao ser achadas em Cristo, nossa vida passa por uma revolução total.

Essas mulheres, assim como milhares e milhares de outras ao longo dos séculos, foram amadas, confrontadas e perdoadas. Mas a mudança só ocorreu após o encontro com o Salvador, que vivificou seu espírito. Dessa experiência veio arrependimento, fé, rendição e relacionamento — um relacionamento que precisa ser desenvolvido a fim de que possamos ajustar nossa vida totalmente à vontade do Pai. Atentemos à orientação de Paulo:

> Portanto, irmãos, rogo pelas misericórdias de Deus que se ofereçam em sacrifício vivo, santo e agradável

a Deus; este é o culto racional de vocês. Não se amoldem ao padrão deste mundo, mas transformem-se pela renovação da sua mente, para que sejam capazes de experimentar e comprovar a boa, agradável e perfeita vontade de Deus.

Romanos 12.1-2

Essa transformação só acontecerá quando você estiver disposta a alinhar seus conceitos aos padrões do Criador. Quando isso acontecer, sua vida nunca mais será a mesma. As preletoras americanas Joyce Meyer e Beth Moore sofreram abusos na infância, mas tiveram a vida transformada após um encontro com Jesus. A partir desse encontro, decidiram desenvolver o relacionamento com ele por meio da leitura da Palavra de Deus e do compartilhamento com outras mulheres do que o Senhor fez na vida delas. E, assim como ele agiu com elas, também poderá agir com você. Em vez de assumir a postura de vítima, elas optaram por agir como guerreiras do exército do Senhor.

Conhecer a Palavra de Deus nos abre o entendimento para os dons e talentos que ele nos concedeu e para o desejo do Senhor de sermos usadas por ele a fim de propagarmos as boas-novas da salvação. O fantástico desse relacionamento com Deus é que mudamos o paradigma: se antes tudo era a nosso respeito, sobre os nossos interesses, a partir desse encontro do nosso espírito com o Espírito Santo, tudo passa a ser sobre os interesses do Senhor.

Prepare-se para o que está por vir. Viver um relacionamento de obediência e rendição a Deus requer muita ousadia, coragem, intrepidez e confiança de que o poder dele vai operar em nós, independentemente da nossa capacidade. Apenas confie e prossiga.

Fui convidada a compartilhar o meu testemunho com um grupo de mulheres de Cabedelo, cidade vizinha de João Pessoa (PB). Falar sobre minhas dores com outras pessoas mexe muito comigo. Por vezes, tenho cólicas abdominais e desarranjo intestinal, antes e depois do evento, junto com enxaquecas. Reviver meus sofrimentos parece revirar as minhas emoções. Mas entendo que é exatamente isso que o Senhor quer de mim. O que faço, então, é não focar nas dores, e sim na vida plena disponível hoje, que tem me agraciado com experiências espirituais maravilhosas. Recebi uma mensagem da líder do grupo, antes da data do evento, sobre algo inesperado: havia uma quantidade surpreendente de inscrições, muito acima da expectativa.

Esse é um exemplo banal de como Deus age em nossa vida de maneira extraordinária quando nos aproximamos dele, desenvolvendo um relacionamento cada vez mais próximo e integrado. Isso ocorre, primordialmente, quando nos dedicamos à leitura da Bíblia e a momentos de oração, estabelecendo um diálogo aberto com Deus sobre como estamos e como almejamos saber o que ele quer que nos tornemos. A esse respeito, o teólogo católico e escritor Henri Nouwen escreveu:

> A oração é um tópico revolucionário, pois ao começar você coloca a vida inteira na balança. Orar significa abrir as mãos perante Deus. Significa relaxar aos poucos a tensão que contrai uma mão contra a outra e aceitar a existência com uma disponibilidade crescente, não como posse a receber, mas como dádiva a receber. Uma vida de oração é uma vida de mãos abertas, em que você não se envergonha de sua fragilidade, mas percebe que é mais perfeito um homem se deixar guiar pelo outro do que procurar prender tudo nas mãos.[2]

Congregar em uma comunidade cristã para exercício de nossos dons e talentos também é muito importante, pois não podemos estar sós, tampouco viver o mandamento do Senhor respondido por Cristo de forma endógena:

> Respondeu Jesus: "'Ame o Senhor, o seu Deus de todo o seu coração, de toda a sua alma e de todo o seu entendimento'. Este é o primeiro e maior mandamento. E o segundo é semelhante a ele: 'Ame o seu próximo como a si mesmo'".
>
> Mateus 22.37-39

O ramo enxertado

Éramos ramos soltos, prestes a morrer eternamente, quando fomos alcançados por Jesus. Ele nos enxertou em si, ele que é a videira. Preencheu o vazio que estava nos secando. Sua seiva começou a adentrar em nós pelos dutos corretos e fez ramificações cheias de vida e de energia. Com isso, fez de nós ramos enxertados, novas criaturas, filhas de Deus, espiritualmente renovadas e renascidas. Dessa forma, estamos nele e ele em nós. Como ele mesmo disse:

> Se vocês permanecerem em mim, e as minhas palavras permanecerem em vocês, pedirão o que quiserem, e será concedido. Meu Pai é glorificado pelo fato de vocês darem muito fruto; e assim serão meus discípulos.
>
> Como o Pai me amou, assim eu os amei; permaneçam no meu amor. Se vocês obedecerem aos meus mandamentos, permanecerão no meu amor, assim como tenho obedecido aos mandamentos de meu Pai e em seu amor permaneço. Tenho dito estas palavras para que a minha alegria esteja em vocês e a alegria de vocês seja completa. O meu mandamento é este: Amem-se uns aos outros como eu os amei. Ninguém tem maior amor do que aquele que dá a sua vida pelos seus amigos. Vocês serão meus amigos, se fizerem o que eu ordeno. Já não os chamo servos, porque o servo não sabe o que o seu senhor faz. Em vez disso, eu os tenho chamado amigos, porque tudo o que ouvi de meu Pai eu tornei conhecido a vocês. Vocês não me escolheram, mas eu os escolhi para irem e darem fruto, fruto que permaneça, a fim de que o Pai conceda a vocês o que pedirem em meu nome.
>
> João 15.7-16

A vida enxertada na videira é muito mais do que seiva circulando em vasos específicos para possibilitar a fotossíntese das folhas e transformar a seiva bruta em seiva elaborada, e assim conceder vida. A nova vida em Cristo é superabundante em graça, alegria e descobertas. Relacionar-se com Cristo na leitura da Bíblia e em oração, participando de uma comunidade de filhos de Deus, é maravilhoso.

Sabemos e devemos confiar que ele tem o melhor para nós e deseja que nos tornemos férteis e vigorosas, como a semente que caiu em boa terra, "[aquele] que ouve a palavra e a entende, e dá uma colheita de cem, sessenta e trinta por um" (Mt 13.23).

Que sejamos esse ramo enxertado fértil, frutífero. Que sejamos encontradas plenas e realizadas, como descreveu o salmista:

> Como é feliz aquele
> que não segue o conselho dos ímpios,
> não imita a conduta dos pecadores,
> nem se assenta na roda dos zombadores!
> Ao contrário, sua satisfação está na lei do SENHOR,
> e nessa lei medita dia e noite.
> É como árvore plantada à beira de águas correntes:
> Dá fruto no tempo certo
> e suas folhas não murcham.
> Tudo o que ele faz prospera!
>
> Salmos 1.1-3

Esse é o meu desejo para mim e para você, a fim de que tenhamos um espírito vivificado e em plena sintonia com o Espírito Santo.

Para reflexão

1. Como você descreveria o seu encontro com Jesus? Como você era antes e como se tornou depois? A que conclusões pode chegar a respeito do que Cristo fez em sua vida?

____

____

____

____

____

2. Que tipo de relacionamento com Deus você tem desenvolvido? Sua leitura bíblica e sua vida de oração são viçosas e frutíferas? Se não, o que pode ser feito para melhorar o relacionamento do seu espírito com o Espírito Santo?

____

____

____

____

____

3. Quais têm sido os frutos de seu relacionamento com o Senhor?

____

____

____

____

____

Vamos orar

Meu Deus, outro igual a ti não há. Falar de um encontro contigo é falar de mudança, renascimento, perdão, recomeço, esperança. Oro por aquelas mulheres que ainda não tiveram um encontro contigo, para que venham a desfrutar da tua maravilhosa presença. Oro, ainda, por aquelas que já receberam Cristo como Salvador pessoal, para que sejam plenamente transformadas por ti. Que o teu amor real penetre todas as suas entranhas e que elas possam conhecer a revivificação do espírito! Em nome de Jesus. Amém.

8

Um projeto em construção

A ideia de que somos formados por três partes, corpo, alma e espírito, apoia-se na declaração de Paulo: "Que o próprio Deus da paz os santifique inteiramente. Que todo o espírito, a alma e o corpo de vocês sejam preservados irrepreensíveis na vinda de nosso Senhor Jesus Cristo" (1Ts 5.23). Paulo fala como se estivesse orando, a fim de que todos os que lessem suas palavras entendessem que o próprio Deus nos santifica por inteiro, independentemente de como nos entendemos divididos: se em corpo e alma; se em corpo, alma e espírito; se em coração, alma e força (Dt 6.5); se de coração, alma, força e entendimento (Lc 10.27). Por que ele disse isso? Para que compreendamos que Deus não nos divide em segmentos, mas nos vê como seres integrais.

A realidade é que, ao fazer uma análise detalhada do texto bíblico, seja do Antigo, seja do Novo Testamento, não encontramos respaldo para quaisquer divisões perfeitas do corpo humano. Muitos estudiosos fizeram ilações sobre a nossa divisão com base na própria criação do homem — feito do pó da terra e depois vivificado pelo sopro de vida —, insinuando que o homem seria parte material (corpo da terra) e parte imaterial (sopro de vida). Mas o fato é que continuamos sem nenhuma explicação bíblica que nos prenda a uma ou outra descrição fragmentada do ser humano. O Senhor sempre se preocupa conosco por inteiro! A preocupação essencial do Criador conosco está na característica de nossa vocação inescapável para relacionar-nos com ele. Assim, podemos imaginar que somos um ser inteiro e importante para o Senhor em todas as áreas. Vejamo-nos, sempre, como um ser completo, integral. Não temos uma relação somente corpórea, separada da alma,

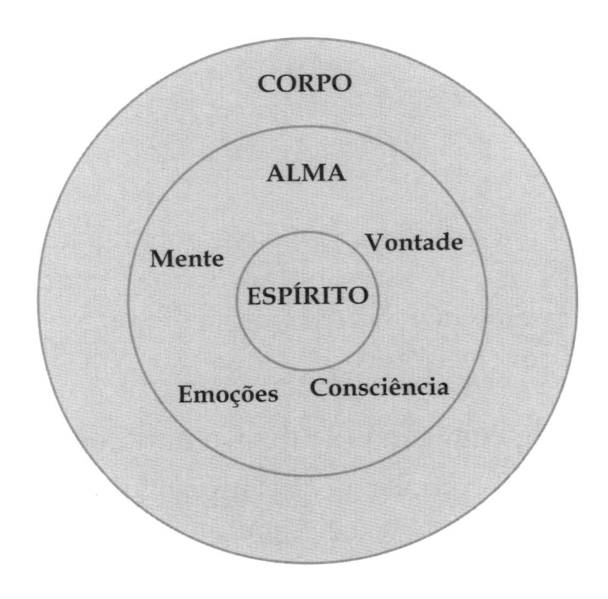

do espírito, da força, do coração e de quaisquer outros segmentos que queiramos introduzir. Devemos eliminar esse esquema da mente.

Uma vez eliminada essa ideia segmentada do ser, devemos nos entender, como seres humanos, segundo este esquema:

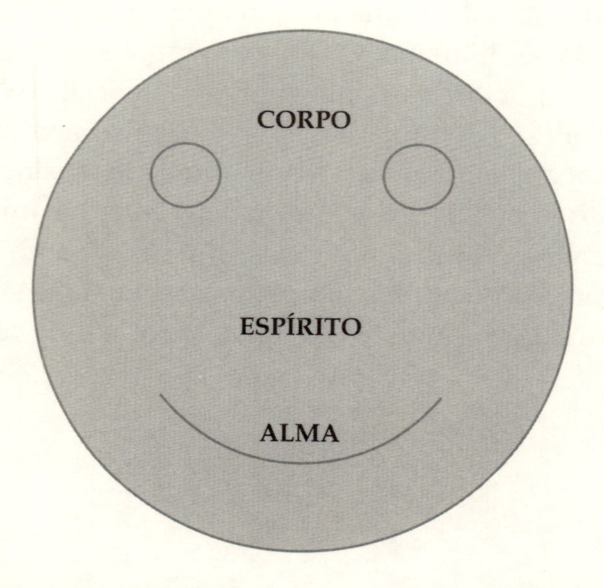

Qual é a diferença principal entre as ideias representadas por esses dois esquemas? Enquanto o primeiro mostra a mulher fragmentada, o segundo revela como Deus nos vê: *mulher completa*.

A sinergia endógena (de dentro para fora)

Somos seres complexos e relacionais e precisamos desesperadamente nos comunicar com Deus, numa conexão direta entre nosso espírito e o Espírito Santo, pois só ele nos conduz ao equilíbrio perfeito. Nele encontramos respostas para todas as nossas perguntas. O Senhor não será apenas o seu professor específico, mas o seu guia e cuidador em todos os assuntos. Tudo o que precisamos fazer é nos achegar a ele, com fé. "Como a corça anseia por águas correntes, a minha alma anseia por ti, ó Deus. A minha alma tem sede de Deus, do Deus vivo" (Sl 42.1-2).

Temos sede espiritual de Deus. Ele é a fonte de água viva, e quem dele beber jamais terá sede. O próprio Jesus falou sobre isso à mulher samaritana, que, sem saber, estava espiritualmente sedenta. Ela procurava em um marido aquilo que só poderia encontrar em Cristo.

> Jesus lhe respondeu: "Se você conhecesse o dom de Deus e quem está pedindo água, você lhe teria pedido e dele receberia água viva".
>
> Disse a mulher: "O senhor não tem com que tirar água, e o poço é fundo. Onde pode conseguir essa água viva? Acaso o senhor é maior do que o nosso pai Jacó, que nos deu o poço, do qual ele mesmo bebeu, bem como seus filhos e seu gado?"
>
> Jesus respondeu: "Quem beber desta água terá sede outra vez, mas quem beber da água que eu lhe der nunca mais terá sede. Ao contrário, a água que eu lhe der se tornará nele uma fonte de água a jorrar para a vida eterna".
>
> João 4.10-14

No dia em que vi diante de mim a chance de saciar a sede do meu espírito em Cristo, eu também não titubeei, mas pedi o mesmo que a mulher samaritana: "Senhor, dê-me dessa água, para que eu não tenha mais sede, nem precise voltar aqui para tirar água" (Jo 4.15). Meu encontro com Jesus me preencheu, é fato, mas esse encontro não é um fim em si mesmo. Pelo contrário, ele é o início de um relacionamento reconciliatório com Deus, comigo, com os outros e com a natureza ao meu redor. Esse ajuste é para mim, para você e para todos aqueles a quem o Senhor chamar.

À medida que descobrimos na Palavra o que Deus tem reservado para nós, ajustamo-nos e moldamo-nos conforme o seu caráter. Não pensamos mais em distinção ou em partes subdivididas do ser: tornamo-nos um ser completo para Deus e, por isso, devemos ser uma pessoa completa para nós mesmas.

À medida que descobrimos na Palavra o que Deus tem reservado para nós, ajustamo-nos e moldamo-nos conforme o seu caráter. Não pensamos mais em distinção ou em partes subdivididas do ser: tornamo-nos um ser completo para Deus e, por isso, devemos ser uma pessoa completa para nós mesmas. Essa completude pressupõe santidade. "Mas, assim como é santo aquele que os chamou, sejam santos vocês também em tudo o que fizerem, pois está escrito: 'Sejam santos, porque eu sou santo'" (1Pe 1.15-16).

A busca por santidade não deve ser um peso na vida, mas um privilégio. Vivemos em uma nação conhecida pelo jeitinho de driblar regras para obter vantagens pessoais em tudo. O outro para os brasileiros geralmente não tem muita importância; o "eu" sempre conta muito mais. Essa maneira de pensar foi sendo enraizada em nosso país desde a colonização, quando Portugal povoou a terra dos tupiniquins a fim de extrair sua riqueza e enviá-la para a Europa. Muitos dos nossos políticos ingressam na vida pública para obter vantagens pessoais, e não para representar as necessidades do povo.

Nessa sociedade que sempre procura "garantir o seu primeiro", se buscamos fazer as coisas de forma correta e justa, ouvimos chacotas e críticas, como "É a santinha!", ou "Só quer ser santa!". A santidade muitas vezes pode ser vista como inalcançável e deixada apenas para os canonizados, tornados santos pela Igreja Católica. A boa notícia é que todos os que creem foram tornados santos pelo sacrifício de Jesus na cruz: "aos santificados em Cristo Jesus e chamados para serem santos, com todos os que, em toda parte, invocam o nome de nosso Senhor Jesus Cristo, Senhor deles e nosso" (1Co 1.2).

Em Cristo somos vivificadas espiritualmente e, assim, nos tornamos separadas para Deus.

A sinergia exógena (de fora para dentro)

Precisamos da presença de Deus com todo o nosso ser, e não apenas com uma ou outra parte de nós.

A divina presença nos vivifica na totalidade e nos põe em perfeita sinergia para glorificarmos a Deus. Assim como muitos membros compõem a Igreja de Cristo em um só Corpo, todo o nosso ser também precisa ser completamente dirigido e coordenado pelo Espírito Santo. Paulo exorta que não devemos nos moldar aos padrões deste mundo, mas nos transformar pela renovação da mente, isto é, dos pensamentos e valores, a fim de experimentar a maravilhosa vontade de Deus, utilizando tudo o que somos e tudo o que temos:

> Assim como cada um de nós tem um corpo com muitos membros e esses membros não exercem todos a mesma função, assim também em Cristo nós, que somos muitos, formamos um corpo, e cada membro está ligado a todos os outros. Temos diferentes dons, de acordo com a graça que nos foi dada. Se alguém tem o dom de profetizar, use-o na proporção da sua fé. Se o seu dom é servir, sirva; se é ensinar, ensine; se é dar ânimo, que assim faça; se é contribuir, que contribua generosamente; se é exercer liderança, que a exerça com zelo; se é mostrar misericórdia, que o faça com alegria.
>
> Romanos 12.4-8

O Senhor concedeu a você características específicas para serem usadas e usufruídas para a glória dele e para sua felicidade e a do próximo. Uma forma básica de conhecer o seu dom é prestar atenção naquilo em que você mais recebe elogios das pessoas. Entre eles, há dons de administração, fé, apostolado, discernimento, encorajamento, evangelismo, contribuição, socorro, hospitalidade, intercessão, conhecimento, liderança, misericórdia, profecia, pastoreio, ensino e sabedoria. Se precisar de ajuda para descobrir os seus dons mais aparentes e os menos desenvolvidos, você poderá responder ao questionário que consta no seguinte *link*: www.editoracristaevangelica.com.br/media/download/novos_convertidos/Teste_Dons_Espirituais.pdf. Será uma excelente contribuição para a sua vida no Corpo de Cristo.

Não há dúvida de que somos bastante heterogêneas, interna e externamente, em coletividade. Toda essa riqueza e pluralidade resultam não em divisão, mas em união para multiplicação. Por isso há tantas passagens na Bíblia sobre estender perdão, aceitação, amor e doação mútua.

> O propósito é que não sejamos mais como crianças, levados de um lado para outro pelas ondas, nem jogados para cá e para lá por todo vento de doutrina e pela astúcia e esperteza de homens que induzem ao erro. Antes, seguindo a verdade em amor, cresçamos em tudo naquele que é a cabeça, Cristo. Dele todo o corpo, ajustado e unido pelo auxílio de todas as juntas, cresce e edifica-se a si mesmo em amor, na medida em que cada parte realiza a sua função.
>
> Efésios 4.14-16

Claramente, o Senhor deseja que sejamos um, como o Pai, o Filho e o Espírito Santo são um. E Jesus orou por isso, pelos primeiros discípulos e por nós.

> Minha oração não é apenas por eles. Rogo também por aqueles que crerão em mim, por meio da mensagem deles, para que todos sejam um, Pai, como tu estás em mim e eu em ti. Que eles também estejam em nós, para que o mundo creia que tu me enviaste. Dei-lhes a glória que me deste, para que eles sejam um, assim como nós somos um: eu neles e tu em mim. Que eles sejam levados à plena unidade, para que o mundo saiba que tu me enviaste, e os amaste como igualmente me amaste.
>
> João 17.20-23

Descubra-se com Deus, em Deus e para Deus. Seja plena! Seja completa! "Pois dele, por ele e para ele são todas as coisas. A ele seja a glória para sempre! Amém" (Rm 11.36).

Para reflexão

1. A que áreas de minha vida preciso dar mais atenção, a fim de colocá-las diante da plena vontade do Senhor?

____

____

____

____

2. Tenho tentado saciar a minha sede em lugares ou coisas diferentes de Jesus? Quais? Que resultados isso tem provocado?

____

____

____

____

3. Em que posição da minha comunidade de fé posso servir aos outros, segundo os dons que Deus me concedeu?

____

____

____

____

Vamos orar

Pai, grato está o meu coração porque tu te revelas a mim de maneiras maravilhosas. Obrigada porque me sinto especial ao investir tempo de qualidade aprendendo mais sobre o que tens separado para mim. Percebo-me singular e cheia de dons e talentos com que tu mesmo me abençoaste. Dirige meu passos e atitudes. Que eu possa ser inteiramente conduzida pela tua vontade em tudo o que eu fizer. Em nome de Jesus. Amém.

9

Quando o Rei me chamar, meu espírito se alegrará

O que significa servir a Deus e ao próximo? De que formas você poderia ser usada como serva que abençoa e que é extremamente abençoada pela decisão deliberada de servir? Em qualquer comunidade de fé, há várias áreas de serviço, mas cada pessoa precisa identificar qual delas está em sintonia com as suas inclinações espirituais. O que você gosta de fazer? Que necessidade lhe salta aos olhos e que você poderia suprir?

Gosto de me lembrar do início de trabalho na comunidade cristã que lideramos. Segundo a tradição evangélica, a esposa do pastor geralmente canta no coral da igreja, trabalha no ministério infantil ou toca piano. De acordo com esse antigo padrão, eu estaria fadada à depressão, visto que não consigo empostar a voz adequadamente e vivo desafinando ao tentar acompanhar o momento de louvor. Contribuir no ministério infantil é uma bênção, mas não é algo que mova meu coração. Tocar piano, então, nem se fala! Confesso que tentei muito.

Assim que eu e Sérgio nos casamos, me inscrevi nas aulas de piano da igreja. Naquela época, meu esposo era líder do ministério de jovens. Fui às primeiras aulas, animada. Aprender as melodias com a mão direita foi muito legal. Quando estava dominando as sequências com essa mão, o professor desafiou-me a acrescentar os acordes. Estes deveriam ser tocados com a mão esquerda e simultaneamente. A princípio, fiquei empolgadíssima com a proposta, mas não consegui harmonizar a mão esquerda de jeito nenhum. Falhei, mas aceitei bem aquilo, pois não temos todos os mesmos dons. No dia em que abandonei as aulas de piano, prometi que trabalharia bastante para que os filhos que o Senhor me desse estudassem música desde cedo e não tivessem a dificuldade que eu tive e a frustração que senti.

Sem o perfil de desempenho ministerial esperado da esposa de pastor, decidi ajudar minha comunidade na área que eu dominava: informática. Quando fomos convidados a liderar uma comunidade batista, cujo pastor titular fora convidado para assumir uma igreja americana, ela tinha cerca de 170 membros. Eu e meu marido temos paixão por louvor, pois ele é músico. Então, decidi preparar todas as projeções de *Power Point* das letras das novas músicas que seriam ministradas em nossa comunidade.

Quando conhecíamos casais de outras igrejas, eles me perguntavam: "Samara, você canta? Toca piano? Está no ministério infantil?". A que eu respondia, com um sorriso: "Não! Trabalho nas artes visuais!". E, acredite, eu era muito realizada fazendo isso. Depois, servi no ministério de louvor por meio da dança; no ministério infantil, liderando mudanças de currículos e implantando novas formas de relacionamento com os pais e com as crianças; na implantação dos pequenos grupos com casais; na implantação da Escola Internacional Cidade Viva, como diretora de tecnologia e inovação; e em diversas outras áreas, conforme havia necessidade e eu sabia que poderia contribuir. Hoje estou no planejamento estratégico de todo o sistema, junto com o meu esposo, e liderando a rede de mulheres de nossa comunidade, que tem crescido com o decorrer do tempo.

Deus a capacitou com qualidades especiais: apenas dê o primeiro passo e veja que o Senhor a levará a fazer coisas lindas que você nunca havia imaginado.

Por que estou relatando tudo isso? Para que você perceba que nosso espírito é dotado de inclinações inatas, dons e talentos que o Senhor nos concede para a edificação do Corpo de Cristo e o avanço do reino de Deus. Quero encorajá-la a servir na sua área de paixão e conhecimento. Não se prenda aos padrões que outros queiram impor a você. Deus a capacitou com qualidades especiais: apenas dê o primeiro passo e veja que o Senhor a levará a fazer coisas lindas que você nunca havia imaginado. Uma coisa é certa: ao agir conforme Deus a preparou para agir, você viverá a certeza de que dar é melhor do que receber, e não terá a menor dúvida disso.

O Espírito de Deus habita em nosso corpo e nos leva a mudanças em todas as áreas: física, emocional e espiritual, que estão interconectadas e são indissociáveis.

Duas mulheres, dois exemplos

Para servir de exemplo de entrega total à vontade de Deus, escolhi duas mulheres fantásticas apresentadas pela Bíblia: Ester e Maria. A experiência delas com Deus exigiu entregar corpo, mente, emoções e confiança. Essas duas mulheres abençoadas são exemplos de espiritualidade em todas as áreas da vida, de forma completa.

Ester

A história de Ester não foi fácil. Judia e órfã em uma terra estranha, ela foi criada pelo primo Mardoqueu. Ela poderia ser uma pessoa introvertida e desagradável, mas decidiu em seu coração fazer a diferença onde quer que estivesse. Ao fazê-lo, expressou espiritualidade genuína em corpo, alma e espírito.

Quando Mardoqueu soube que o rei persa estava selecionando aquela que seria sua futura rainha, pensou logo em apresentar a prima para a disputa, por acreditar que Ester seria capaz de conquistar o posto na realeza. Não foram poucas as candidatas a esse lugar de honra. Ester era judia praticante, tinha intimidade com Deus e exalava o bom perfume daquele que crê.

Quando chegou ao harém, o encarregado, Hegai, gostou dela. "A moça o agradou e ele a favoreceu. Ele logo lhe providenciou tratamento de beleza e comida especial. Designou-lhe sete moças escolhidas do palácio do rei e transferiu-a, junto com suas jovens, para o melhor lugar do harém" (Et 2.9). Fico imaginando que tipo de agrado seria esse. Acredito que uma mulher dócil, de olhar meigo e muito bonita agradaria o encarregado. Depois de toda a experiência negativa com a antiga rainha Vasti, ninguém gostaria de escolher para o rei uma mulher teimosa, arrogante e que não correspondesse aos anseios reais.

Ester foi preparada por um ano para ter o corpo aromatizado totalmente a fim de ser apresentada ao rei, mas ela certamente demonstrou mais do que um belo corpo. Quando foi o grande momento de sua apresentação a Xerxes, Ester não aceitou nada além do que já tinha sido sugerido. "Ester causava boa impressão a todos os que a viam" (Et 2.15). Ester acreditava que o Senhor estava à sua frente e queria ter a certeza de que ser simples seria o mais importante. E, enfim, veio a resposta: "O rei gostou mais de Ester do que de qualquer outra mulher; ela foi favorecida por ele e ganhou sua aprovação mais do que qualquer das outras virgens. Então ele colocou nela uma coroa real e tornou-a rainha em lugar de Vasti" (Et 2.17).

Mas, nem tudo foram flores e sucesso. De repente, o rei foi persuadido, sem saber que Ester era judia, a assinar um decreto real que permitia a extinção do povo judeu nos povoados de seu domínio. Ester, então, usou seus dons e talentos para fazer o rei saber da situação e reverter aquela condenação à morte. E ela conseguiu. Com isso, mudou a história do seu povo.

Ester saiu da orfandade para uma posição de muita honra. Ela não recuou quando enfrentou a morte, e o Senhor colocou a vitória na tinta dos decretos reais. Após o livramento do povo judeu, ela decidiu tomar atitudes também políticas e de orientação para o seu povo. Celebração, doação e espiritualidade são valores que não se podem esquecer, e Ester sabia disso muito bem.

Maria

Maria era uma moça simples da cidade de Nazaré que tinha uma vida normal, como qualquer outra de sua época. Isso até ter um encontro pessoal e transformador, como relata o texto das Escrituras:

> No sexto mês Deus enviou o anjo Gabriel a Nazaré, cidade da Galileia, a uma virgem prometida em casamento a certo homem chamado José, descendente de Davi. O nome da virgem era Maria. O anjo, aproximando-se dela, disse: "Alegre-se, agraciada! O Senhor está com você!"
>
> Maria ficou perturbada com essas palavras, pensando no que poderia significar esta saudação. Mas o anjo lhe disse:

"Não tenha medo, Maria;
você foi agraciada por Deus!
Você ficará grávida
e dará à luz um filho,
e lhe porá o nome de Jesus.
Ele será grande
e será chamado
Filho do Altíssimo.
O Senhor Deus lhe dará
o trono de seu pai Davi,
e ele reinará para sempre sobre o povo de Jacó;
seu Reino jamais terá fim".

Perguntou Maria ao anjo: "Como acontecerá isso se sou virgem?"

O anjo respondeu: "O Espírito Santo virá sobre você, e o poder do Altíssimo a cobrirá com a sua sombra. Assim, aquele que há de nascer será chamado Santo, Filho de Deus. Também Isabel, sua parenta, terá um filho na velhice; aquela que diziam ser estéril já está em seu sexto mês de gestação. Pois nada é impossível para Deus".

Respondeu Maria: "Sou serva do Senhor; que aconteça comigo conforme a tua palavra". Então o anjo a deixou.

Lucas 1.26-38

Fico pensando se Maria conseguiu dormir naquela noite. Mil temores e questionamentos devem ter assolado seu espírito, sacudido sua alma e agitado seu corpo. Mas ela resolveu confiar e entregar-se à vontade do Senhor — em corpo, alma e espírito, Maria doou-se sem medida.

O corpo de Maria foi alterado, mudado e moldado para a chegada do Salvador. Sua mente e suas emoções não conseguiam imaginar as dores que viriam e como o Espírito Santo do Senhor conduziria tudo isso. Ela simplesmente disse "sim" e foi conhecida como a agraciada de Deus, a mãe do Salvador, aquela escolhida entre todas as mulheres para trazer ao mundo o Filho de Deus, redentor de todo aquele que crê. Se você ouvisse a voz do Senhor instando-a a servi-lo com tudo o que você tem e é, o que faria? Que tal cantar com Maria a sua canção?

> Então disse Maria:
> "Minha alma engrandece ao Senhor
> e o meu espírito se alegra em Deus, meu Salvador,
> pois atentou
> para a humildade da sua serva.
> De agora em diante, todas as gerações me chamarão bem-aventurada,
> pois o Poderoso fez grandes coisas em meu favor;
> santo é o seu nome.
> A sua misericórdia estende-se aos que o temem,
> de geração em geração.
> Ele realizou poderosos feitos com seu braço;
> dispersou os que são soberbos no mais íntimo do coração.
> Derrubou governantes dos seus tronos,
> mas exaltou os humildes.

Encheu de coisas boas os famintos,
mas despediu de mãos vazias os ricos.
Ajudou a seu servo Israel,
lembrando-se da sua misericórdia
para com Abraão e seus descendentes para sempre,
como dissera aos nossos antepassados".
Maria ficou com Isabel cerca de três meses e depois voltou para casa.

Lucas 1.46-56

Maria é uma inspiração para nós até os dias de hoje. Quem não temeria oferecer seu corpo a uma gestação antes do casamento, ainda virgem, e com todas as consequências sociais, emocionais e físicas disso? O que a vida de Maria fala ao nosso coração, hoje, é que para Deus nada é impossível, "pois é Deus quem efetua em vocês tanto o querer quanto o realizar, de acordo com a boa vontade dele" (Fp 2.13).

A ele seja a glória para todo o sempre. Amém!

Para reflexão

1. Como está sua espiritualidade? Você tem se entregado ao serviço do Senhor de corpo, alma e espírito?

____

____

____

____

____

2. Caso perceba que a resposta anterior foi negativa, o que precisa fazer para mudar e servir ao Senhor de forma integral?

____

____

____

____

____

3. Que lições você pode extrair das experiências de Ester e Maria para a sua vida?

____

____

____

____

____

Vamos orar

Pai, eu agradeço pela tua imensa bondade. Obrigada porque escolheste tantas mulheres para serem exemplos para nós, para quem podemos olhar e crer que, assim como foi na vida delas, também será na nossa. Creio que a tua ação sobrenatural pode acontecer na minha vida. Por isso, usa-me e faze algo novo e maravilhoso em minha vida, conforme a tua boa e maravilhosa vontade. Em nome de Jesus. Amém.

10

Uma mulher como você

Sou a única filha, em uma família de três filhos, do primeiro casamento do meu pai.

Meus pais se separaram quando eu tinha 9 anos, e minha mãe, guerreira e vitoriosa, ficou conosco. Não foi fácil. Mesmo com pensão e visitas periódicas do meu pai, tivemos algumas privações financeiras e muitas feridas emocionais.

Desde muito cedo, eu estudava muito, era bastante organizada e, na opinião das mães de minhas amigas, um modelo a ser seguido. Não me prostituí, não me droguei, não me embriaguei, não fumei. Até tive ocasião para me embriagar, quando passei no vestibular para Ciências da Computação na Universidade Federal da Paraíba (UFPB) e fui para a *Festa dos feras*, como era chamado o encontro para celebrar a aprovação. Quando percebi que estavam querendo se aproveitar da minha falta de lucidez, parei imediatamente de beber. Cheguei em casa e minha mãe perguntou: "Onde está a bêbada?". Eu respondi: "Acho que isso não é para mim, não". Ali percebi que eu desejava ter o controle das coisas. Mal sabia eu que "Ao homem pertencem os planos do coração, mas do SENHOR vem a resposta da língua" (Pv 16.1) e que "Em seu coração o homem planeja o seu caminho, mas o SENHOR determina os seus passos" (Pv 16.9).

Eu e Sérgio nos conhecemos no colégio, mas só começamos a namorar na universidade. No primeiro dia de aula, esbarramo-nos no corredor do centro universitário, e foi aquela surpresa. Quinze dias depois estávamos namorando. Ele investiu em mim muito amor e dedicação, e senti-me verdadeiramente amada. Namoramos por cinco anos, até conhecermos a Palavra de Deus, que mudou tudo em nossa vida. Depois que recebemos conscientemente Jesus como o nosso Senhor e Salvador, todas as portas se abriram diante de nós.

Queríamos casar com tudo organizado: formados, com bons empregos e sem gravidez intercorrente. Tudo certo! Alvo alcançado! *Check* OK!

Sonhamos em ter três filhos, sendo o primogênito um menino. Tudo certo! Alvo alcançado! *Check* OK!

O Senhor nos chamou para um ministério especial! Aceitamos o desafio e vivemos tudo isso intensamente! Outro alvo alcançado! *Check* OK!

Relacionamentos familiares todos reconciliados! Alvo alcançado! *Check* OK!

Sem amizades rompidas, sem dívidas pendentes! Alvo alcançado! *Check* OK!

Filhos estudiosos, obedientes, maravilhosos! Alvo alcançado! *Check* OK!

Por ter passado algumas privações financeiras, passamos a fazer uma reserva para o futuro dos nossos filhos. Sonhei em presenteá-los com alguma coisa no futuro profissional deles. Tudo certo! Alvo alcançado! *Check* OK!

Saúde? Todos os anos eu fazia os exames de rotina: sangue, citológico, colposcopia, mamografia, ultrassonografia. Alimentação saudável, atividade física regular, corrida na praia e *personal trainer*. Fiz minha parte! Alvo alcançado! *Check* OK!

Eu sempre dizia a mim mesma que não queria nada pendente em minha vida. No que dependesse de mim, não deixaria nada para o dia seguinte. "Quero acertar! Quero agradar o coração do meu Senhor e Salvador todo o tempo", eu dizia.

Sempre me vi como princesa aos olhos do Pai. O Senhor me abençoou muito e constantemente. Livrou-me e separou-me, desde o ventre da minha mãe. Eu dizia que ele me mimava bastante, porque sabia os pequenos desejos bobos do meu coração e os realizava. Dessa maneira eu não me via no direito de desagradar o coração do Pai.

Quando a gente se casa, o coração da mulher torna-se para o marido e para os filhos. E eu planejei: quando me aposentar da Justiça Federal, terei dedicação exclusiva ao ministério, os meninos estarão encaminhados e poderei estar com Sérgio de forma mais atuante nas atividades ministeriais. E esse alvo? O que será dele?

O meu sistema de controle dos meus alvos e metas começou a falhar quando descobri um mioma de três centímetros no útero. A médica disse que isso era normal e que precisaríamos apenas acompanhar. Mas, pouco depois, comecei a ter sangramentos urinários e ginecológicos ininterruptos, justamente quando estávamos em plena expansão ministerial, com a gravação de um DVD dos jovens da nossa comunidade de fé. O mioma cresceu rapidamente. Dores, antibióticos e anti-inflamatórios tornaram-se rotina.

Decidimos fazer a cirurgia de retirada do mioma, embora a primeira biópsia não houvesse detectado malignidade no tumor. Os dias de licença médica já tinham passado, voltei a trabalhar e as dores começaram a passar. Mas logo retornaram, porque meu ciclo menstrual havia normalizado.

O meu sistema de controle dos meus alvos e metas começou a falhar quando descobri um mioma de três centímetros no útero.

Fui trabalhar no dia seguinte, e Sérgio fez questão de me levar e, depois, me buscar no trabalho. Eu nem pensava no resultado da biópsia após a retirada completa do mioma, pois, como a primeira não havia apontado nada, não imaginei que na segunda algo diferente seria detectado. Mas, ali mesmo, no carro, meu marido me disse:

— Meu amor, o resultado da biópsia não foi bom.

— Como assim?

— Deu câncer.

— Câncer?

Pensei: "Não tenho o perfil de pessoas que têm câncer; esse exame está errado". Àquela altura, já havia um oncologista nos esperando no consultório. Ele explicou que era um leiomiossarcoma, um tipo de câncer bastante agressivo. Quando pesquisei um pouco na Internet sobre esse tipo de câncer, vi que a maioria das pessoas só vivia de dois a cinco anos depois de sua descoberta. A família toda se reuniu. Todos estavam muito abalados. Eu não acreditava que estava enfrentando tudo aquilo. O meu sistema de controle havia falhado.

Como trigo na peneira

Fizemos releitura de lâmina em outro laboratório, e o resultado foi confirmado: era mesmo leiomiossarcoma. Meu chão abriu-se, porque eu tinha esperança de que poderia ter havido erro no diagnóstico! Meus filhos maiores estavam em um acampamento, e eu não consegui dormir naquela noite. Chorei muito na presença do Senhor, mas eu queria mesmo era gritar e uivar em desespero! Saí do quarto para não acordar meu marido e fui gritar ao Senhor no quarto do meu filho mais velho. Eu orava: "Senhor, não me leve agora! Quero tanto ver meus netos! Quero amar mais, servir mais, viver mais!". Sérgio acabou acordando e choramos juntos, naquela noite e em muitos momentos depois.

"Simão, Simão, Satanás pediu vocês para peneirá-los como trigo. Mas eu orei por você, para que a sua fé não desfaleça. E, quando você se converter, fortaleça os seus irmãos" (Lc 22.31-32). Jamais esses versículos haviam sido tão reais em minha vida. Fui muito peneirada, em todas as áreas. Se você sente que tem sido peneirada em sua vida, não desista, não desfaleça. Creia que o próprio Jesus estará intercedendo por você, como ele também fez por minha vida. Porque, quando nos levantarmos em convicção e conversão, poderemos fortalecer nossos irmãos, o povo que o próprio Senhor colocará em nossa vida.

A cirurgia foi um sucesso! O tumor estava restrito ao útero, era muito pequeno, não houve qualquer tipo de invasão ou metástase. Estima-se que esse tipo de malignidade aparece em uma a cada 700 mil mulheres. É um tipo raro e não hereditário. Isso quer dizer que, em uma cidade de um milhão de habitantes, como a minha João Pessoa, entre homens e mulheres, justamente eu fui a contemplada com essa raridade.

Em um só momento, preenchi vários cheques com valores altíssimos, que rasparam mais de dez anos de economias que havíamos feito para o futuro dos meus filhos. Chorei muito ao mudar a finalidade daqueles recursos, que havia economizado com tanto esforço. Creio que aquilo foi preciso para que eu entendesse que o nosso Deus é o nosso provedor em toda e qualquer situação, e que o mesmo Deus que cuidou de mim até hoje também cuidaria dos meus filhos. Ficamos totalmente abatidos, mas não destruídos.

Eu orava ao Pai: "Senhor, livra-me de tratamentos adicionais. Que essa cirurgia seja o fim de tudo". Mas a resposta veio logo: mesmo com um quadro muito positivo, por causa da agressividade do tumor eu precisaria fazer o tratamento complementar de quimioterapia e radioterapia.

Sentimo-nos muito pressionados em meio aos resultados, mas não desanimados; ficamos perplexos, mas não desesperados. Difícil foi ouvir de uma pessoa da família que o Senhor havia me escolhido para passar por essa experiência porque sabia que eu a suportaria. Confesso que engoli em seco. Não tinha convicção alguma para conseguir responder ou questionar aquela afirmação. Comprovamos depois que o Senhor não nos daria um fardo maior do que poderíamos suportar.

Em todo o tempo que estivemos em São Paulo para os procedimentos médicos, recebemos visitas diárias de irmãos que moravam lá, de irmãos que viajaram de perto e de longe para nos visitar, de familiares e de igrejas inteiras que oravam e clamavam por mim. No hospital, as visitas não paravam. Até o pessoal da recepção do hospital perguntou ao meu irmão quem eu era, de tanta visita que recebia. A Igreja do Senhor é maravilhosa! Ela é uma só, não importa onde você esteja. Deus cuida de você e faz que não se sinta abandonada em momento algum.

Todos oravam e compartilhavam que eu precisava de oração. Eu, que estava sempre tão bem, agora me encontrava totalmente humilhada, dependente, pequena. O Senhor nos sustentou o tempo todo e nos deu palavras de conforto e esperança. Ouvimos muitas promessas do Senhor para nosso futuro e relembramos outras. Fomos e somos sustentados pelas promessas dele.

A Igreja do Senhor é maravilhosa! Ela é uma só, não importa onde você esteja. Deus cuida de você e faz que não se sinta abandonada em momento algum.

A cirurgia cravou em mim uma cruz na barriga, só que invertida, pois a cirurgia cortou na perpendicular transpassando um pouco a cicatriz das cesarianas. Sempre que olho essa cicatriz, me lembro dos sofrimentos de Cristo, o que me lembra que a Palavra da salvação precisa ser proclamada a tempo e fora de tempo. Meu corpo tem agora, literalmente, a marca de Cristo.

Em sete meses submetida à quimioterapia, vivi muitas dores físicas: dor de cabeça, dor na cabeça, dor pélvica, urticária, dermatite, prisão de ventre, diarreia, dor de garganta, esofagite, gengivite, gastrite, dor muscular generalizada, dor óssea, dor de dente, alergia ocular, alergia respiratória, falta de ar, taquicardia, cansaço, boca seca, deglutição dolorosa, dor nas mamas, dor nas axilas, dor ao toque e até dor nas unhas; além das dores emocionais e espirituais que vinham adicionalmente.

Minha mãe veio morar conosco naquele período para ajudar no tratamento, o que foi uma grande bênção. Nosso coração começou a ficar apertado e pensávamos em todas as pessoas que são submetidas a esse tipo de tratamento e não têm suporte adequado. Se eu, que tenho família, suporte nutricional e medicamentoso, e muitas orações em meu favor, sofri dessa forma, imagine quem enfrenta tudo isso sem nada. Se você conhecer alguém que esteja enfrentando um câncer, ajude como puder, pois os tratamentos são duros e difíceis de suportar. Nem todo câncer é letal, pois o índice de cura para aqueles que são descobertos no início é alto.

Eu pedi muito ao Senhor para não ficar careca em decorrência do tratamento. Importamos toucas térmicas dos Estados Unidos, porque, de acordo com pesquisas, elas evitam a queda dos cabelos em até 80% dos casos. Nós tentamos, mas no fundo eu sabia que o Senhor queria que eu passasse por todo o processo. Ele estava me forjando, me preparando no íntimo. Não deu outra: o cabelo começou a cair e foi muito difícil, porque isso mexe com a nossa feminilidade, e a autoestima despenca. Decidimos, então, raspar, pois realmente seria inevitável. E Sérgio fez isso em um domingo. Assim que me viu, quando chegou da igreja, disse: "Não vou dar esse privilégio a ninguém", e passou a máquina. Chorei bastante, choramos juntos, porque me senti sem dignidade, uma alienígena.

Nesse processo, recebi muitos "nãos" de Deus. O Senhor trouxe-me à memória a passagem bíblica que relata o dia em que muitos discípulos deixaram de seguir a Jesus, por causa da dureza da mensagem do evangelho. Quando Cristo questionou os doze apóstolos se eles também desejavam ir, Pedro lhe respondeu: "Senhor, para quem iremos? Tu tens as palavras de vida eterna" (Jo 6.68). Eu fiz minhas as palavras de Pedro, pois realmente fiquei sem controle, sem forças, sem ter como lutar com minha própria energia e vontade. Estava totalmente rendida e, por que não dizer, desesperada, por estar totalmente convicta de que somente o Senhor poderia me sustentar e me manter viva. No chão do meu banheiro, fiz minha rendição total e irrestrita a Cristo. Meu autocontrole foi totalmente dissipado. Chorei bastante! Ao levantar, careca, do chão, submetida totalmente ao senhorio de Jesus, tive cravada em meu coração a firme convicção de que viveria por ele, com ele e para ele todos os dias

No chão do meu banheiro, fiz minha rendição total e irrestrita a Cristo. Meu autocontrole foi totalmente dissipado. Chorei bastante! [...] *Ali, me rendi completamente: em corpo, alma e espírito.*

de minha vida. Ali, me rendi completamente: em corpo, alma e espírito.

Agora também eu vivia o relacionamento de fé que tanto admirava nos outros. Louvado seja o nome do Senhor por tudo isso! Mas tudo foi um processo que precisava ser vivido com toda a intensidade reservada para ele.

A quimioterapia que fiz também nos priva da luz solar e, por baixar muito a imunidade, também nos remove da vida comunitária. Com isso, o Senhor me reservou um momento separado, uma lacuna de dores e privações. Passei a viver dentro de casa, sem correr na praia, sem poder fazer massagem, sem visitas, sem paciência, com muitas dores, com seis quilos a mais, sem concentração e sem juízo. Tive acessos de fúria, o que me levou a me submeter a um tratamento psiquiátrico e psicológico.

Cantando na chuva

Após concluir a quimioterapia, o radioterapeuta prescreveu um tratamento mais eficaz e menos demorado que a radioterapia, a braquiterapia, que fiz em apenas quatro sessões. No meio desse tratamento, meu marido me desafiou a compartilhar com a nossa comunidade de fé tudo o que estávamos vivendo, em um momento de testemunho. Eu estava revigorada, animada. Eu lhe disse que, antes de testemunhar, desejava dançar a famosa coreografia da dança na chuva de Gene Kelly no filme *Cantando na chuva,* pois foi a primeira imagem que me veio à memória. Quando imaginava uma pessoa feliz, sem perceber o mundo ao seu redor, nem se incomodar com o clima desfavorável e curtindo sua alegria de dentro para fora, era essa imagem que me vinha à memória.

Eu queria dançar feliz e mostrar a careca para todo mundo. Meu esposo e minha mãe ficaram muito preocupados com a exposição pública e diziam que eu não precisava fazer isso. Não obstante, sentia que era algo vindo do Senhor e que eu deveria fazer isso como um símbolo de coragem e de fé de que Deus estaria no controle de tudo e que, se ele me sustentara até ali, poderia fazer o mesmo com quem estivesse assistindo àquele momento. Foi maravilhoso. Após a dança, compartilhei o testemunho com algumas pequenas alterações do que falei aqui para vocês.[1]

Tudo isso aconteceu em 2013. Depois dessa experiência, muita coisa mudou. Eu não tive mais medo de errar e assumi um ministério direto com as mulheres da nossa comunidade. Comecei orando com elas via aplicativos de *smartphone,* e o Senhor mesmo foi colocando ideias e estratégias para identificar novas líderes e para ampliarmos a pregação da Palavra de Deus entre nós. Conseguimos aumentar consideravelmente a quantidade de mulheres em grupos pequenos e envolvidas em algum tipo de voluntariado.

Resolvi tirar o foco de mim mesma, com relação ao medo de ter uma recidiva da doença, e prosseguir confiando que o Senhor tem todos os meus dias em suas mãos. Hoje, compartilho meu testemunho em várias oportunidades e da forma que o Senhor deseja em cada situação. Sinto-me curada, realizada, livre, feliz e totalmente alinhada com os planos dele para mim. Fui restaurada em corpo, alma e espírito. Percebo-me completamente dependente do Senhor e descanso totalmente nos braços do Pai.

Desejo que você viva os planos do Senhor para você sem adição de dores. Que, assim como foi comigo, os seus momentos de aflição não sejam vistos como o fim, mas como o início de um novo e maravilhoso caminho de descobertas inimagináveis!

Para reflexão

1. Em que áreas de sua vida você ainda precisa abrir mão do controle e entregá-las totalmente ao Senhor?

____

____

____

2. De que forma você poderia aliviar a dor de alguém que sofre perto de você?

____

____

____

3. De que maneiras Deus pode usar o sofrimento para moldar seu corpo, sua alma e seu espírito, isto é, você, completamente?

____

____

____

____

Vamos orar

Pai, eu te agradeço pela minha provação e por ter vivido tantas dores. Com lágrimas regamos e com júbilo colhemos os frutos. Que a intercessão de teu Filho em nosso favor seja recebida em favor de quem sofre nesta hora, a fim de que saibam que contigo podemos descansar e almejar dias melhores. Se morrermos, estaremos contigo e, se vivermos, para ti viveremos. Louvado e exaltado seja o teu santo nome para todo o sempre. Amém!

Conclusão

Sinceridade, amor e simplicidade são valores que prezo muito. Tentei transmiti-los por meio das reflexões, experiências e histórias que relatei neste livro, a fim de acrescentar algo à sua jornada. Se para arrependimento, para uma nova percepção de si mesma, para o acréscimo de conhecimento, para ser bênção na vida de outra pessoa, não importa; o que realmente importa é que, ao ler este livro, você tenha sido abençoada de alguma forma e se sentido desafiada a uma transformação.

Imaginar que na próxima foto anual da família a minha imagem poderia ser a única ausente trouxe pânico ao meu coração. Mas... quem pode ter certeza de algo na vida, se só ao Senhor pertence os rumos da nossa história? Minha convicção talvez seja maior porque tenho um laudo escrito que joga isso na minha cara todos os dias. Contudo, nenhum de nós tem certeza do amanhã. Dependa completamente do Senhor; arrisque-se em um relacionamento franco, desmascarado com o Pai, com quem você poderá livremente conversar sem medir palavras. Afinal, para quem a escolheu e a conhece desde o ventre da sua mãe, não há segredos nem fingimentos.

Meu desejo ao escrever este livro é que você procure se ver de maneira integral, descobrindo como anda a sua espiritualidade no que tange a corpo, alma e espírito — e tendo novo fôlego para prosseguir.

Deus pode curar o corpo, mas ele não está preocupado apenas com o corpo material; Deus dá atenção às emoções, à mente, às vontades, à consciência, ao espírito. O Senhor nos separa para grandes obras, de forma integral. E, para isso, trabalha não apenas em uma área nossa, ele cuida de todo o nosso ser, pois não somos seres cheios de divisões: ele nos recebe por inteiro. Por isso, devemos nos render sem restrições aos pés do Senhor. O próprio Jesus nos disse:

> Venham a mim, todos os que estão cansados e sobrecarregados, e eu darei descanso a vocês. Tomem sobre o meu jugo e aprendam de mim, pois sou manso e humilde de coração, e vocês encontrarão descanso para as suas almas. Pois o meu jugo é suave e o meu fardo é leve.
>
> Mateus 11.28-30

Teimamos em segurar os fardos e lançá-los sobre as pessoas que estão ao redor, querendo que elas resolvam nossos problemas. E, nesse afã, acabamos por tornar o fardo mais e mais pesado. Procuramos socorro nos lugares errados. Corramos desesperadamente para o colo daquele que nos dá descanso, compreensão e perdão total: Jesus Cristo!

Eu estava dentro da igreja e era salva, mas vivia cheia de restrições quanto ao meu tempo e à minha forma de servir ao meu Salvador. Achava que poderia ser inconveniente, incapaz e inadequada. Mas isso é o que o inimigo de nossa alma quer implantar como verdade em nosso coração. Tenha a convicção de que você foi feita para honrar e glorificar o seu Senhor em tudo. O Salvador conhece o seu coração e sabe como anda sua confiança na poderosa mão dele. É preciso ter ciência de que somos totalmente dependentes dele e, portanto, podemos aceitar ser apenas servas que obedecem à vontade do Pai. Com disposição e coragem, vamos vivendo abertamente as fraquezas, sabendo que o poder aperfeiçoador do Senhor agirá em nosso favor em toda e qualquer situação.

Onde está a sua segurança? Que ela esteja no Senhor!

Quem está no controle da sua vida? Desarme-se e entregue-se ao Senhor!

Quando você partirá desta vida? Quando eu partirei? Não sabemos. Só o Senhor sabe! O que importa é que eu e você tenhamos vivido de corpo, alma e espírito, de forma integral, nossa vida e nosso relacionamento com Deus. Isto é, que tenhamos vivido como *mulheres completas*!

Notas

Capítulo 3

[1] Disponível em: <http://nymag.com/betamale/2016/05/women-are-now-cheating-as-much-as-men-but-with-fewer-consequences.html>. Acesso em: 6 de out. de 2016.

[2] Disponível em: <http://www.independent.co.uk/life-style/love-sex/one-in-three-women-watch-porn-at-least-once-a-week-survey-finds-a6702476.html>. Acesso em: 6 de out. de 2016.

Capítulo 4

[1] Edward E. Smith Atkinson e outros. *Introdução à psicologia*, p. 422-423.

[2] Disponível em: <http://www.progresso.com.br/caderno-a/ciencia-saude/oms-diz-que-33-da-populacao-mundial-sofre-de-ansiedade>. Acesso em: 10 de out. de 2016.

Capítulo 5

[1] Linda L. Davidoff. *Introdução à psicologia*, p. 390.

[2] Disponível em: <http://www.psicologosp.com/2013/05/o-que-e-ansiedade-causas-e-tratamento_16.html>. Acesso em: 20 de jun. de 2017.

[3] Edward E. Smith Atkinson e outros. *Introdução à psicologia*, p. 562, 566-568.

Capítulo 7

[1] Rick Warren. *What on Earth Am I Here For?*, p. 6.

[2] Henri Nouwen. *Oração: o que é e como se faz*, p. 72, 77, 79.

Capítulo 10

[1] O vídeo com a dança e o testemunho está disponível em: <https://www.youtube.com/watch?v=5Ro61oCkkgg&t=191s>. Acesso em: 10 de jun. de 2017.

Referências bibliográficas

ATKINSON, Rita L. e outros. *Introdução à psicologia de Hilgard.* Porto Alegre: Artmed Editora, 2002.

DAVIDOFF, Linda L. *Introdução à psicologia.* São Paulo: Makron Books, 2001.

GRUDEM, Wayne. *O feminismo evangélico: um novo caminho para o liberalismo.* São Paulo: Cultura Cristã, 2009.

HEFNER, Philip J. *O ser humano.* In: BRAATEN, Carl E. e JENSON, Robert W. *Dogmática cristã.* São Leopoldo: Sinodal, 1990.

LADD, G. E. *A Theology of the New Testament.* Grand Rapids: Eerdmans, 1974.

LAYDEN, Mary Anne e EBERSTADT, Mary. *The Social Costs of Pornography: A Statement of Findings and Recommendations.* Princeton: The Witherspoon Institute, 2010.

MACARTHUR JR., John. *Sociedade sem pecado.* São Paulo: Cultura Cristã, 2002.

MCGRATH, Alister. *Uma introdução à espiritualidade cristã.* São Paulo: Vida, 2008.

MOLTMANN, Jürgen. *Deus na criação: doutrina ecológica da criação.* Petrópolis: Vozes, 1992.

NOUWEN, Henri. *Oração: o que é e como se faz.* São Paulo: Loyola, 1999.

PACKER, J. I. *Rediscovering Holiness.* Ann Arbor: Servant, 1992.

PARNELL, Jonathan e STRACHAN, Owen. *The Joy of Christian Manhood and Womanhood.* Minneapolis: Desiring God, 2014.

SHIRER, Priscilla. *Quando Deus fala: como reconhecer quando Deus fala com você.* São Paulo: LifeWay, 2012.

SPANGLER, Ann e SYSWERDA, Jean. *Elas: 52 mulheres da Bíblia que marcaram a história do povo de Deus*. São Paulo: Mundo Cristão, 2003.

VIEIRA, Samuel. *O império gnóstico contra-ataca*. São Paulo: Cultura Cristã, 1999.

WARREN, Rick. *What On Earth Am I Here For*? Grand Rapids: Zondervan, 2002.

Sobre a autora

Samara Queiroz é líder da rede de mulheres da Igreja Cidade Viva e supervisora da seção de sistemas da Justiça Federal em João Pessoa (PB). É bacharel em Ciências da Computação pela UFPB e bacharelanda em Teologia pela FTSA, e pós-graduada em Redes e Sistemas de Informação pela UFPB e em Gestão de Recursos e Formação de Liderança Cristã pela FIP. É casada com Sérgio Queiroz e mãe de Sérgio Augusto, Esther e Débora.

Compartilhe suas impressões de leitura escrevendo para:
opiniao-do-leitor@mundocristao.com.br
Acesse nosso *site*: www.mundocristao.com.br

Equipe MC:	Maurício Zágari (editor)
	Heda Lopes
	Natália Custódio
Diagramação:	Luciana Di Iorio
Revisão:	Josemar de Souza Pinto
Gráfica:	Imprensa da Fé
Fonte:	Book Antiqua
Papel:	Lux Cream 70 g/m² (miolo)
	Cartão 250 g/m² (capa)